JÉSUS DE CHICOUTIMI

JEAN FRANÇOIS CASABONNE

JÉSUS DE CHICOUTIMI

UNE PERSÉIDE DE DAMAS

SILENCE

Illustration de la couverture : Antoine Pentsch

ISBN 2-920180-60-6

6121, rue Hutchison, Montréal, Qc H2V 4B7
Dépôt légal – Bibliothèque nationale du Québec,
4ᵉ trimestre 2001

Imprimé au Canada

I

Œil, toi qui me lis, voilà une goutte de mon histoire. La mienne. J'entre. Une pulsion m'aspire. Seul devant le mystère, je suis. Je cherche de l'éraflure la fleur.

D'ordinaire un père accueille son enfant quand il naît. Une vie commence d'habitude ainsi. Pour moi, cela a commencé tout autrement. Comme si, au lieu de manger la banane qu'on a épluchée, on en mangeait la pelure.

Cet après-midi-là, à l'appartement de Yasmine, j'aurais donné gros pour être invisible dans la clinique de monsieur Djalala, le regarder se dépêtrer : il parlait avec Yasmine, lui en Indiana aux États-Unis, elle à Montréal. Assis collé tout contre Yasmine, neutre, presque en elle, je l'écoutais lui parler. Les mots fragiles qui s'envolaient de sa bouche dansaient jusqu'à l'oreille de roche de monsieur Djalala. Il niait catégoriquement que Marcienne, ma mère, se fût ouverte pour lui. Il niait, comme un enfant qui s'est fait prendre la main dans le bocal de confiture et qui dit que le barbot de fraises écrapouties sur le mur n'est pas de lui. Pour monsieur Djalala, Marcienne était une pure inconnue. J'avais les yeux ronds, je regardais Yasmine, interloqué. J'avalais mes lèvres et mon silence était un ventre de canyon. J'étais devenu Yasmine, elle était ma maison.

— Monsieur Djalala, Narcisse est à côté de moi. Parlez-lui.

— Non, fit-il d'une voix de sabre.

— Il a tout d'un Syrien, Marcienne n'a pas pu inventer que vous êtes son père.

Il y eut un silence olympique, un frisson de Damoclès, parce que Yasmine venait de dire exactement ce qu'il fallait pour créer un pont. En effet, monsieur Djalala est Syrien, chirurgien généraliste et père en fuite.

— Je ne veux pas d'histoires.

— Il n'est pas question de cela, monsieur Djalala. Narcisse ne veut pas d'argent, il vous l'a déjà écrit. Il cherche ses origines.

— Mais qu'est-ce que cela donnerait ?

Je ne pouvais rien. J'étais là comme un petit chien silencieux d'une parfaite immobilité, enfermé dans une impuissance totale. La situation était ridicule. J'avais juste à prendre le récepteur et à lui parler. L'air était de cristal. Nous marchions sur des cantaloups. Monsieur de l'Indiana était sur le point de raccrocher, mais en lui quelque chose venait de céder, une partie de lui fondait. Il se rendait compte du fantôme qu'il était pour moi. Yasmine était le canal par où le miracle naissait : un père qu'on sort de la boule à mites, un fils qui s'enfante. Tout ça parce que le matin du 9 juillet 1996, en m'éveillant soudain dans l'œil de l'ouragan, le nom de Yasmine, la femme médiane, la cavalière du vent, la *transverbero*, celle qui se laisse traverser de part en part, tournoyait en moi.

Le médecin syrien oscillait entre le oui et le non, à croire qu'il était un ambivalent-né.

— Oui, j'ai connu Marcienne à Chicoutimi dans les années soixante. Nous n'étions que des amis, nous allions parfois danser ensemble.

Soudé à Yasmine, oreille à oreille, j'écoutais. Je sentais que monsieur le Syrien se rappelait tout, très clairement ; d'une voix douce, il affirmait n'avoir jamais eu de relations avant le mariage.

C'était très ambigu de la part du père boule à mites de confier à Yasmine pareilles confidences. Où voulait-il en venir ? Yasmine lui avait dit un peu plus tôt que Marcienne était décédée cinq ans auparavant ; cela l'avait ébranlé. Mais pourquoi s'ouvrir et se refermer ? Un mouvement perpétuel de va-et-vient chez lui. Aurais-je un piston pour père ? Dans sa clinique du sud de l'Indiana, cet homme cherchait encore une fois à s'esquiver. Il fuyait cette froide journée d'hiver à Chicoutimi où Marcienne, tout amoureuse, lui avait annoncé qu'elle portait dans sa caverne un petit Narcisse. Les seuls mots qu'il aurait prononcés, selon Marcienne : « Avortons-le ! »

Marcienne avait un fort tempérament, elle faisait la pluie et le beau temps. Outrée, elle le quitta sur-le-champ et, en s'exilant, quitta sa famille, Chicoutimi et ses belles pensées qui fleurissaient le rang Saint-Jean à Grande Baie, chez son père. Les nuages s'empilent dans le ciel. Ça sent le déluge.

— Je dois vous laisser. Mes patients attendent.

— Narcisse peut-il vous écrire ?

— Oui, peut-être une lettre. Non, pas de lettres.

Devant l'appartement de Yasmine, face au grand parc, le soleil se couchait : comme le chirurgien de Damas, il allait se cacher, ou plus simplement se faire discret, mettre un peu de noirceur sur le temps ocre. On réfléchit mieux dans l'ombre.

J'embrassai Yasmine. Encore tout émue de sa conversation avec ce père boule à mites, elle était comme en transe. J'étais perplexe.

— Penses-tu qu'il est vraiment mon père ?

— Oui, je suis sûre que oui. Il n'aurait pas nié s'il n'avait pas été au courant. Ça l'a surpris, il a été comme pris d'assaut.

— J'aurais dû l'appeler moi-même.

— Il t'aurait raccroché au nez.

— Absurde, tout ça !

— C'est un homme bon, par contre. J'aimerais le connaître.

— Te rends-tu compte, Yasmine, il te dit, à toi, une danseuse, qu'il dansait avec maman ?

— Oui, c'est fou, hein ! Quelle co... conidie !

— Quoi ?

— Je veux dire co... coïncidence. Quelle coïncidence !

— J'ai un poing dans le thorax, une grosse écharde dans le front.

— C'est une surdose d'émotion.

— L'alliance s'enclenche. C'est maigre, mais c'est mieux que juste un os.

— La porte est ouverte. T'as le pied dans l'antichambre, Narcisse. Fantastique, il nous a donné quinze minutes de son temps !

— C'est si peu après trente-quatre ans d'absence. Si je pouvais me téléporter et devenir son prochain patient. Cher father in U.S.A. ! Il doit voir toutes les étoiles du drapeau américain danser une par une devant lui. Il doit être tantôt rouge, tantôt bleu, tantôt blanc, superambivalent comme il est. J'espère qu'il ne fera pas une crise cardiaque.

— La vie fait bien les choses. C'était préférable que je lui parle la première.

— Oui, tu as été inspirée. Mais c'est un deuxième refus.

— Une deuxième naissance ?

— Non. Quand ma mère lui a dit qu'elle était enceinte de moi, je veux dire de lui, il lui a proposé l'avortement. Et quand toi tu lui proposes de me parler, il dit non. Il ne veut vraiment pas que j'existe !

— Il a été foudroyé !

— C'était pas si difficile d'écouter ma voix lui dire que j'étais là. Et moi de l'entendre me dire que oui, c'était vrai, il était mon père, viande ! Je ne suis pas fier d'être sorti de ses couilles ! Au fond, est-ce que j'ai tant besoin d'un père ?

— Une vraie question de fils ! Est-ce vraiment nécessaire de connaître la paternité de tous et de tout ?

— Non ! Dans certaines tribus, le père est collectif. En fait je suis mon père. Maintenant je m'adopte, je ne suis plus la victime. Le seul regret que j'ai, c'est de ne pas lui avoir parlé. Il ne veut pas que je lui écrive, mais je vais le faire quand même.

— Ça me fait penser à ma grand-mère amérindienne dont je t'ai parlé. Elle n'a jamais été reconnue par les parents de son mari, et quand elle est morte, ils n'ont pas fait graver son nom sur le monument à côté de son mari décédé. Si bien que maintenant, elle est comme une morte anonyme. Personne ne sait qu'elle a existé. Dès que je le pourrai, je ferai graver son nom sur la pierre tombale : EVA ASINAÏ. Chaque année, j'irai, le jour de sa fête, me recueillir légitimement devant cette femme ardente.

— Quand l'oubli est inconscient, on peut pardonner. Mais lorsqu'il est volontaire, c'est pire qu'un meurtre.

Je lui ai parlé jusqu'à l'aube avec des mots d'aurore aux lèvres et de plus en plus de vie dans les yeux. Nous étions complices et comme une seule âme. Quelque chose de nouveau dansait en nous. Il y a cinq ans, pendant que Marcienne mourait dans la Bonne Maison, nous nous étions rencontrés à Ottawa près de la statue de Terry Fox. Elle chorégraphiait une pièce de Mishima, *Les cinq nô modernes*. J'interprétais le rôle d'un poète qui s'amourache d'une vieille clocharde dénommée Komatchi. Au cours de son séjour au Japon, Yasmine a fait partie de la troupe de danse de Tanaka, qui a bien connu Mishima. Pendant que ma mère agonisait, j'étais ce poète samouraï qui meurt d'amour pour Komatchi, dans une sorte de hara-kiri du cœur.

Au lendemain de la première, Yasmine est partie pour la Russie rejoindre Androv Anatol. Un homme d'outremer pour qui elle brise toute frontière, pour qui elle donne lune et terre. Un homme dévastateur qui l'emprisonne au plus sacré d'elle, la transforme en citadelle, Yasmine, la belle cavalière du vent.

À son départ de l'hôtel, elle m'a laissé dans l'oreille une petite phrase de Komatchi : À tantôt... dans cent ans !

Était-ce aujourd'hui le jour de toutes mes retrouvailles ? Quand je suis parti de chez Yasmine, le soleil venait mettre un peu de couleur sur le temps, j'ai pris le matin par la main, l'ai mis dans ma poche et couru jusqu'à chez moi. J'ai traversé le pont Jacques-Cartier et, comme une flèche, je suis arrivé à Sainte-Julie. D'un souffle, j'ai écrit à mon père.

Le 10 juillet 1996

Bonjour, Monsieur Djalala,

*J'ose, malgré votre refus, vous écrire cette lettre.
Vous n'aurez jamais « d'histoires », de représailles,
ou de problèmes avec moi, je vous le jure. Vous
dites, au sujet de ce qui nous concerne : « Qu'est-
ce que cela donnerait ? »*

*Cette histoire que ma mère, Marcienne Bras-
sard, m'a racontée, et que d'autres personnes dignes
de confiance ont confirmée, serait pur mensonge ?
J'ai besoin de l'élucider, d'entendre la vraie vérité
de votre bouche.*

*Surtout et avant tout percer le mystère qui en-
toure mes origines. Ma première lettre n'était pas
assez explicite : je vous envoie une copie. Maintenant j'ai besoin d'une réponse claire et nette.*

Le 1ᵉʳ septembre 1994

Bonjour, Monsieur Djalala,

*Voici, je me nomme Narcisse Bonne Maison,
fils de Marcienne Brassard que vous avez rencon-
trée à Chicoutimi dans les années 1960-1961. Je
suis né à Montréal le 29 octobre 1961. Si tous les
renseignements que j'ai eus sont véridiques, vous
êtes donc mon père. Marcienne est décédée le 5 mars
1991. Si j'ai Bonne Maison pour nom de famille,
c'est que ma mère a épousé en 1968 un Basque
français, qui lui aussi est décédé, le 20 février*

1985. Je ne veux surtout pas vous embêter avec ces précisions, c'est pour que vous soyez mieux situé. Je ne veux pas non plus vous bousculer en prenant l'initiative de ce contact et soyez assuré que je ne suis animé d'aucun intérêt financier. Ma démarche est intérieure, strictement personnelle. Je suis très conscient de la surprise que cette lettre peut vous causer, j'ai réfléchi avant d'accomplir ce geste et je sais maintenant qu'il est impératif pour moi de connaître mes racines. C'est comme si je lançais une bouteille à la mer avec tout ce que ça comporte d'espérance mais sans aucune attente. Surtout, sentez-vous bien libre de faire ce que vous voulez et si le cœur vous tire vers ce lien possible, je serai ouvert et réceptif à ce second souffle.

Narcisse Bonne Maison

Je me rends compte ce matin que je demeurais assez évasif sur l'objet de votre réponse. Mais votre silence a raffermi en moi le vif désir d'un écho de votre part. J'ai besoin de savoir d'où je viens, c'est fondamental pour moi, je vous prie de me croire. Voilà pourquoi je vous ai appelé à travers une amie, Yasmine Petit, pour déclencher le père en vous, le sortir de l'inertie. Excusez-moi si cela vous a bousculé. Je peux comprendre que cette porte soit dure à ouvrir. Je respecte la difficulté que vous éprouvez à communiquer avec moi : vous voulez protéger les secrets de votre intimité, peut-être même chercher à les oublier. Je sais que j'ai à me légitimer seul, à me faire naître en quelque sorte, je compte sur votre aide pour me confirmer dans mon existence. J'ai besoin de vous, Monsieur Djalala, pour accoucher de ce fantôme qui m'habite, pour rendre concret l'abstrait, pour faire la lumière sur l'ombre. S'IL VOUS PLAÎT, FAITES-MOI SIGNE. Ce que je souhaite ultimement, c'est vous rencontrer, vivre un moment de complicité avec vous. J'ai senti que cela serait possible à travers Yasmine qui a été toute remuée par la bonté et la sensibilité qui s'exhalaient de vous. Qu'importe cette histoire de père ou de non-père ! Parce qu'au fond, que faire d'un fils inconnu, pour un père ? et que faire d'un père inconnu, pour un fils ? Vous serez pour moi, tout au moins, un ange sur ma route. Ou, si vous préférez, un guide ou encore mieux un REPÈRE.

Je vous envoie une photo de moi, vous pourrez mettre une image sur mes mots. Je suis comédien. Je jouerai cet automne Mésa dans Le Partage de midi de Claudel.

J'ai toujours la même adresse :

Narcisse Bonne Maison
1000, rue des Quenouilles
Sainte-Julie J3E 1W8 QC Canada
Tél : (514)670-2910

*

Œil, le soir est clair, la nuit très chaude.

J'attends toujours une réponse de monsieur Djalala. Ça fait déjà un mois que ma lettre a été envoyée. Je suis convaincu que mon père a été une étoile filante dans ma vie et le firmament de Marcienne, ou plutôt une comète qui est passée un soir de février 1961 et repassée un soir de juillet 1996, laissant une empreinte, une tache immaculée d'absence. Elle passe aux 34 ans. La prochaine fois ce sera dans un nouveau millénaire, en 2030. J'aurai 68 ans si je vis encore. Monsieur Djalala frisera l'âge du siècle. Ce sera probablement l'automne, un soir d'octobre, juste avant que le soleil se couche, là où la lumière origine.

Caché à l'intérieur du garage, dans le fauteuil de mon père basque, je pense à mon amoureuse Ingrid, qui se trouve à Maria dans la baie des Chaleurs. Une plage, un océan, une marée, un fleuve, un Québec entier nous séparent. Mais, de cet événement perséido-testiculaire, trois choses nous unissent : l'appartement de Yasmine, qui est l'ancien logement d'Ingrid ; mon nom de famille, Bonne Maison ; et celui d'Ingrid, Loquet. Assis, dans le souvenir de Jean Bonne Maison, la triade devient : *En soulevant le*

Loquet pour entrer dans l'appartement constellé de Yasmine, la Bonne Maison se reconfiture. Cela pourrait donner dans mon arabe approximatif. *El sâouttâ Betche, béchaitt Yasmine el Bet el Mnihh* et dans mon basque délirant : *Etche ona Yamine Ganik Bizitegiaean ideki maratillaa.*

Ingrid et moi sommes aimantés l'un à l'autre et notre balancier enclenche le bonheur, premier enfant de l'amour. Le chaos clair de ma vie m'entraîne dans un va-et-vient de c'est quoi l'amour – c'est ça l'amour ! – c'est quoi l'amour ? – c'est donc ça l'amour... Je confonds la tendresse et le désir, je confonds le désir et le plaisir. J'aime la tarte au sucre parce qu'elle éveille en moi le plaisir que le sucre procure. Par contre, on s'écœure du sucre, il peut même nous faire débouler dans le diabète. Le désir anticipe le plaisir ?

Dans cette aimantation stellaire, une sirène crie en moi que je veux donner ma vie à l'autre. Répondre à cet appel irrévocable, sans succomber au symbole mais me toucher du doigt, comme l'aveugle qui regarde l'horizon et s'écrie : je ne vois pas ce que c'est, mais que c'est beau !

J'ai les yeux crevés face au désir. Mon amour erre dans mon corps-naufrage. La glace Groenland me gèle et m'auréole. Auréole : du verbe auréoler ; j'auréole, tu auréoles, il auréole, nous auréolons, vous auréolez, ils auréolent.

Je peux être loin physiquement d'Ingrid-Gaspésie et me sentir relié à elle. Mais parfois aussi, à deux pouces de ses ailes, je suis à mille battements d'elle, et c'est une sorte de mort. Moi, j'espère ce que j'entrevois.

Je dois entrer en relation avec moi, moi avec moi, pour rencontrer l'Unique qui me mène au tout autre. Dieu c'est l'hôte de nous-mêmes.

L'Amour doit se greffer au tronc. J'aime Ingrid, Ingrid m'aime. L'Amour nous aime. L'Amour, c'est de la terre, de l'eau, une vigne, du soleil, des mains généreuses, du flair, du raisin, du jus qui bouillonne, du temps, de la patience et de l'azur sur des lèvres labyrinthes. Mais le désir est parti en guerre, une chaleur tristounette frissonne dans nos corps. Est-ce une étape, une impasse ou une drille féroce qui perce notre armure méduse et dévoile la passerelle qui nous relie l'un à l'autre, notre Avallon à nous ?

Où est mon désir ? J'ai le désir de nous, j'ai le désir de toi, de nous, de toi avec moi, de nous avec nous, mes yeux sont faits de toi, je brûle d'envie d'aimer. Ingrid, j'ai le désir d'aimer d'amour, de tout donner, de tout te donner, en une vague de moi, sur tes sables berges. Je me brûle de cette envie de te voir en moi, libre, onde-liane, ambre-lumière, de devenir moi en toi, toi en moi, de ne pas qu'être aimé, de ne pas trop seulement s'aimer pour soi, mais surtout de t'aimer. Être source de tes rêves, que tu sois rêves de mes sources, puits de ta force. Me faire avec tes mains pleines de mes dix doigts, nous faire dans un tout dénoué, couleur de fleuve sur fond vierge. Si tu savais combien mon désir brûle de toi, nous serions un océan flamme, cœur du vent, soleils en flèches, nous deux un seul souffle dans un poumon-phare. Te dire tout, en gestes de chaque seconde. Perle inouïe, au charme sans nom ; nul ne m'a tant rempli, je déborde. Le reflet d'Ingrid chante en moi : elle est là bien réelle, la turquoise de jouvence, je m'imbibe d'elle...

Moi, Narcisse errant dans mon fauteuil-épave, je vois par la fenêtre, à toutes les minutes, passer mon père à vive allure dans le noir lointain d'août, des étoiles en série, pour ne pas dire en Syrie. Un ciel-Perséides troué de pépites luminaires : ces petits astres sont morts et, au-delà de leur mort, leur vie continue, leur souvenir poursuit sa course. Si je criais le nom d'Ingrid en mourant, là, en cette seconde, l'onde de son nom-sirène la rejoindrait aussitôt.

Lorsque l'Innommé a dit : « Lumière », instantanément elle fut. Et depuis, comme un Éternel, elle nous parvient encore. Ainsi, le premier OUI de Marcienne fut déjà en elle l'explosion-rencontre qui prolonge sa trajectoire sous la forme tangible de Narcisse Bonne Maison, chercheur de père en cette nuit des Perséides. Pourquoi tant d'étoiles au ciel ? Que cherchent-elles ? Qui veulent-elles rejoindre ? La Terre ? Est-ce un éclat souvenir du verbe originel : « Soyez » ? Sommes-nous déjà morts ? Serions-nous le reflet visible d'une réalité invisible, rêvée il y a longtemps ? Et notre image, fruit de ce rêve, ne serait-elle que de la lumière lancée jadis ayant aujourd'hui pour contour une écorce de peau ? Tous mes pères me chercheraient-ils ? Imbibé de mes pensées, je ferme les yeux. Paupières lourdes d'un ciel observateur, je plonge dans le sommeil avec ce rêve kamikaze, toujours le même, qui, à chaque nuit, me crève : mon père, avec un grand couteau d'ivoire, perce mes tempes, et le sang coule sur la neige, noir comme l'encre sur du papier blanc ; des cloches sonnent comme de la broue dans mes oreilles à cause du sang qui noie mon ouïe. Mes yeux ouverts, larges comme l'horizon, m'avalent d'une seule gorgée. Mon père est un trou noir.

À chaque fois que j'arrive au bout de ce rêve, je me réveille, trempé de peur, troué de père, avec une question qui absorbe chaque recoin de mon être : suis-je embarrassant à ce point ? Et cette question en suscite une pléiade d'autres : Qui a peur de qui ? Est-ce moi qui ai peur de moi ? Est-ce moi qui me tue ? Ce père qui se tait, par son silence me tue-t-il aussi ? Se scandent les questions et flânent les réponses, tinte l'origine du point du jour. La semence ocre du cachalot sourd me hante.

À la suite du premier, un autre rêve me vrille pendant ces nuits. C'est une grosse bouche de girafe qui chuchote dans l'eau très fort en arabe et en articulant comme une moissonneuse-batteuse à trois cils de mon œil : « Je rêve d'une ville, sculptée de foudre, ornée de berges vierges, peuplée de vignes nues, de sable poudre. Et le vent d'ouragan serait le roi de la nuit dans les draps d'Orphée. Et les filles fières, porteuses de rêve, et les hommes Norvège aux âmes fécondes, aux mains sans glaive, aux lèvres d'onde. Je rêve d'une ville du bout du monde, aux yeux de lune. Point d'univers. Tendue au creux des dunes comme une plume, valse la brume. Je rêve d'une ville sans fauve, une ville mauve aux couleurs d'assaut, blanche, blanche, mangue. À cœur de peau, une ville tortue, une ville pieds nus, avec l'horizon au bout des doigts, je rêve de toi. Floune fouflux de traverdure en forme de drain, de val vidul en max au crip du vrax, machin pul en marche de bulle. J'ai le revolver au cœur, et gratte pitentus le feu s'incruste, au bord du trac t'anime l'albumine, te mine et t'illumine, proxipus de flux sans plus, de flux immense, de fluxence, je t'ouvre la panse, je trouve le sens et frac te morphe, les mains te enflent, viande de paon cheveux au vent, je te veux vivant. » Et la bouche de la girafe se dessouffle en tourbillon spirale dans une petite chambre ambrée qui ressemble à une niche à chien.

Premier réveil après le premier rêve, à trois heures : une peur. Deuxième réveil après le deuxième rêve, à quatre heures : un espoir. Peur de mourir, espoir de vivre, en somme une sorte d'ESPEUR. Au fond, j'espère.

Moi, Narcisse Bonne Maison, j'étouffe dans mes frissons. La peur d'être gros me dévore jusque dans ce fauteuil basque, un désir multicolore de disparaître, un absolu fondamental de devenir un os clochard. L'art de la cloche m'obsède et m'obèse. J'ai peur des seringues, des prises de sang. Seules les très grosses infirmières me rassurent et mon sang peut alors remplir les petits tubes. Je ne suis pas très grand, avec de belles dents, joliment maigre et j'adore la course. Quand je ne cours pas, je marche. C'est mon mouvement par excellence.

Pendant que mes pieds zieutent le sol, ma pensée prend racine, je réfléchis à voix haute : pourquoi retourner tant et tant sur les traces de mon origine ?

Dans un des commandements dictés à Moïse, il est dit « œuvre de chair ne désireras qu'en mariage seulement ». Mais moi, né en dehors du mariage, si je suis fait à l'image de Dieu, si je suis icône du créateur, issu de celui qui est, qui était et qui vient, sorti de l'innommable, de l'indescriptible, conçu par le grand architecte horloger, par le grand artiste, alors je me dérobe à cette loi ? Je suis espéré de Lui mais créé en dehors d'une loi dictée par Lui ? Il y aurait contradiction, c'est dire que j'existe hors de la loi... Je suis donc libre de la loi, parce qu'espéré de Dieu et créé déjà hors du temps et des normes. La phrase de l'abbé Pierre est donc juste : « La VIE est un peu de temps donné à des libertés pour si tu veux apprendre à aimer. Pour la rencontre de l'Éternel amour dans le toujours de l'au-delà du temps. »

Moi qui suis incapable d'aimer simplement à cause du poids que j'ai donné à cette maudite loi. La loi du Père absent, la loi du fils troué, la loi du disparu, du fils paru, la loi de la peur d'aimer, la loi de la peur d'être possédé, la loi de la mère trop aimante.

Syndrome du fils-époux, fils d'une mère dévorante, époux-traître d'une mère interdite, fils sans désir propre ne répondant qu'à celui de sa mère, passif aimant. Ma mère la poularisante, j'ai souffert de sa dévoration jusqu'à la jouissance. Puis-je aimer une femme autre que ma mère ? Son amour se faufile toujours en moi, poisson insidieux, espion qui me gobe tout rond. Toutes les fois que j'aime, que j'accède à une brèche d'intimité et d'engagement tendre, je bloque. Il se fait alors une rupture en moi. Le Narcisse libre que je veux être s'incline devant la tyrannie du fils-époux. Je cherche l'osmose atomique avec la femme aimée, Ingrid, et en même temps, je la fuis à cause de la loi du dévoré et de la dévorante, de l'étouffé et de l'étouffante, de ce touffu étouffage. Toutes les femmes me renvoient à cette image de perte et d'envahissement et, au bout du compte, je n'aime en réalité personne, même pas moi-même. Je deviens alors un pénis en déroute, un duplicata de ce père froussard, une réplique insomniaque de cet ancien fils bistouri.

La devise des Petits Frères des pauvres, c'est « la fleur avant le pain ». Ma devise à moi, Narcisse Bonne Maison, sera « l'être avant la loi ».

J'ai rencontré l'abbé Pierre en France, dans une maison d'Esteville près de Rouen, avec Ingrid et des amis comédiens en tournée. Pendant deux heures nous avons été libres de nous-mêmes. Ce qui me reste de l'abbé Pierre, c'est deux mots : inventez-vous !

Oui. Inventons-nous, soyons inventeurs de nous-mêmes. Risquons d'être tout à fait libres, ayons de l'audace dans le sang, du courage aux dents. Soyons forts de nos vies fragiles. Rassemblés, liés, serrés, comme le fruit à l'arbre, l'arbre à la terre, l'eau au ciel, le vent mouillé de bleu, et l'océan jusque dans le pépin du fruit. Goûtons le jus de ce trajet humble. Faisons-la. Faisons-le. Notre vie. Notre temps.

Je suis très conscient que la recherche de mon soi-disant vrai père passe à travers la rencontre de plusieurs pères substitutifs, dont l'abbé Pierre, le père Benoît Lacroix, mais aussi du jeune écrivain Charbel.

Charbel. Une rencontre toute sobre mais rare. Il vient d'aussi loin que moi, il a un peu l'âme française, il a les mains chercheuses, il est d'ici et là. Charbel. Un rendez-vous d'amitié lumière, un orifice d'ouverture millénaire. Une toute petite chapelle cathédrale s'offre à nous, un chapeau sacré pour nos âmes frileuses, une tente-caverne pour nos cœurs assoiffés d'air, un monument-signe pour sceller nos origines, un mystère gouvernail et clef sereine de nos tempes nostalgiques. Charbel. Une amitié-temple, simple, avec un rein pour phare, un regard liquide, fontaine iris qui gicle l'avril.

Je lui fais part de mon projet fou, une aventure pour s'inventer. Charbel dit oui tout de suite, un réflexe de nouveau-né. Respirer le oui, inspirer la vie, inventer le Charbel en lui. Le cri doux des âmes neuves. Un oui touffu, plein de hardiesse.

Nous marcherons de la fête de la Sainte-Claire jusqu'à la fête de la Sainte-Croix, mille kilomètres, un million cent soixante-huit mille pas entre le mont Saint-Joseph, à Carleton, et l'oratoire Saint-Joseph, à Montréal. Trente-quatre jours d'août et de septembre. Nous allons remonter le fleuve, village par village, en pèlerins du vingtième siècle, pour aboutir à la plus grosse crèche d'Amérique rêvée par un tout petit homme. Ce sera un long oratorio pour pieds humains, nous relierons notre faire à notre croire, nous deviendrons les porte-parole des sans-voix auprès des sans-oreille. Ce sera une paix marchante. Un mouvement noble du corps s'articulant en duo concert, symbole d'art et de foi. L'art de la cloche. Deux clochards marchant. Une foi ancrée dans le réel, un acte total gratuit et anonyme, dans le silence, dans le secret. Quelle abeille a sucé le miel qui se trouve dans ma cuillère ? Je défie quiconque de me la trouver. Ainsi sera notre marche. Je la veux long pèlerinage, je veux repasser dans les traces de nos ancêtres le long de la route fondatrice du Québec le long du fleuve avec un regard large. Regarder et se laisser regarder par tout ce qui existe entre deux clochers. Laisser la marche marcher en nous, devenir cette marche dans nos corps, se laisser guider par elle, qu'elle devienne notre mère et notre flair. Charbel me dit :

— Rassure-toi, Narcisse, rien ne sert de la faire trop vite, cette marche, il faut d'abord marcher vers la marche, monter vers elle, se laisser apprivoiser par elle.

— Je comprends.

— Personne ne nous la volera, cette marche. Jette cette peur par terre, et écrase-la, brûle-la, et le vent se chargera du reste. De toute façon, cette marche n'est pas à nous, et si par hasard quelqu'un nous copiait, comme tu dis, ce sera jamais comme nous on la fera, puisque personne d'autre n'est nous.

— Bien sûr.

— Nous sommes uniques, Narcisse.

— Tu es Charbel.

— Tu es Narcisse.

— Et la marche est notre mère.

— Et la mer est notre sœur, notre flair.

— La faire comme un drôle donnerait une grenouille en cadeau à une vieille de quatre-vingt-dix-huit ans dans un hospice, ou comme un trisomique chante Wagner avec sa douce qui l'accompagne au piano, ou comme on plante des épilobes dans des bouteilles de Pepsi vides pour les donner aux ministres de nos pays. Avoir du flair c'est avoir du cœur aux narines, c'est de l'intuition crue, bleu marine, de l'instinct mauve.

— Quand monsieur Djalala te demandait « qu'est-ce que cela donnerait » ? Eh bien, avant toute chose, cela donne de faire la paix tout court.

— Uniquement la paix.

— La paix unique.

« Cette marche est la boussole de ta vie », m'a peut-être dit Benoît Lacroix. C'est mon nord tanière tout au long du Saint-Laurent, elle me fera passer du fils au père, je trouverai mon sol, ma terre, ma voix, ma parole de chemin, elle me fera devenir père pour d'autres.

Benoît, comme l'abbé Pierre, est dans les ombres du temps. Il a huit fois dix ans, comme dirait Cortazar. Le regard d'un enfant de huit ans et l'expérience de quatre-vingts ans sur le dos. Il paterne ma frêle lanterne, il panse ma pensée, un baume sur mon âme bélouga. Il me remue bord en bord, il me transperce, ses mots sont flèches lianes. Il est notre doux sage placoteux. Quand je lui ai demandé si, pour lui, l'écriture était une jungle, il a souri :

— Oui, je suis un Tarzan du stylo !

— Écris-tu en bobette comme lui ?

— Non, mais nu-pieds.

— Parlant de « nu-pieds », comment se fait-il que madame Coin-Coin de Saint-Perpète, pure inconnue, mère de neuf enfants, semble moins importante que le général de Gaulle connu du monde entier ?

— Oh ! Oh ! Oh ! la hiérarchie des actes !

— Exact. Elle exécute dans l'ombre un exploit qui a autant sinon plus de mérite que de Gaulle, et pourtant elle meurt, et personne ne se souvient d'elle.

— Dans un autre ordre de jugements, peut-être qu'elle serait plus importante. Rappelle-toi, brave Narcisse : Les premiers seront les derniers, et vice versa. De Gaulle devant Dieu dirait : « Moi j'ai sauvé une nation, j'ai aussi dit 'Vive le Québec libre !'. Pourquoi madame Coin-Coin me devance-t-elle en paradis ? » Et Dieu de répondre de sa grosse voix : « C'est comme ça que ça marche icitte. »

— À quoi on sert ? Hein ? À quoi on sert vraiment ? (Benoît garde le silence.) Moi j'aimerais me rafistoler une âme sur le bord des rivières et des arbres lointains, dans le parfait secret de l'air et de l'eau, être utile, point. Faire comme les papillons monarques : traverser les Amériques jusqu'au Mexique en me foutant du libre échange, guérilleros multicolores volants.

— Mettre un peu d'arc-en-ciel aux pupilles des crocodiles ?

— Oui, oui, oui. Mais dans le trésor du présent.

— Voilà ! Chacun sa place, Narcisse. Chaque iceberg laisse sa trace dans l'océan sans que ça paraisse de la terre, mais les rivages ressentent leur courant lierre. C'est la marche qui marche en toi, elle devient sacrée pour ça, et non toi qui la marcheras. C'est la différence entre nuage et nuance.

*

Œil, une pluie diluvienne s'abat sur la maison maintenant d'où je t'écris. Je suis seul. Les oreilles orphelines. Je revois dans mon esprit mon père basque me sourire avec ses lunettes, les mêmes que quand, enfant, je l'avais surpris faisant l'amour à Marcienne ma mère. J'étais intrigué par tous ces bruits insolites qui provenaient de leur chambre, j'avais entrouvert la porte et mon père basque, sur ma mère, se retournant vers la fente lumineuse, d'un coup de voix brusque me dit : « Qu'est-ce que tu veux ? » Et moi j'essaie de comprendre, je bafouille : « Ça va bien ? Vous n'avez besoin de rien ? Maman, as-tu mal quelque part ? » Le silence dans la chambre en disait long, il était chargé d'une espèce de « Sacre ton camp ». J'avais dix ans et je remarquai, avant de fermer la porte, les bas gris aux pieds de mon père basque. Et ses lunettes. Ses fameuses lunettes tatouées dans ma mémoire.

Toute cette recherche du père s'est dé-clenchée le jour où Jean le Basque, mon père, baptisé Saint-Jean allez savoir pourquoi, est mort. Ce père était un père adoptif, un père officiel, un père attitré en chef, vous savez, le genre de père qui se retrouve sur les baptistaires. Ce père en fait, était le vrai, parce que l'autre, monsieur Djalala, le soi-disant vrai père, était le faux. Mon vrai père, celui qui s'est occupé de moi, l'adoptif, est né berger basque devenu ancien charpentier des Pyrénées, a libéré Paris sous les ordres du maréchal Leclerc, a ensuite fait deux ans de guerre d'Indochine pour après s'en venir en terre d'ici. Il est mort ingénieur en mécanique, près de Montréal, dans un lit, le sien, chez lui, face à une fenêtre qui donnait sur des cerisiers, un après-midi de plein soleil, en février. Dans la maison d'où j'écris, les murs tout en bois l'écoutaient mourir. Il s'est éteint en levant les mains vers le haut en direction de la fenêtre, les yeux ouverts, et il les a lentement laissées tomber sur le lit avec un long souffle qui n'en finissait plus de s'échapper de sa bouche. Ma mère, ma sœur, des amis et moi, étions autour du lit comme des chandelles chambranlantes. Le silence était bourré de sa mort. La sérénité planait dans la pièce, la maison suait la vie, on aurait dit un Jour de l'An avec un Noël dedans. Le chat a fait une grande course dans la maison et est venu pisser dans la plante que mon père venait de nous donner. Ma mère a chanté *Le Seigneur est mon berger* et je fus baigné dans l'image immortelle du sourire de Jean le Basque.

Planté comme une colonne dans la bonne maison, je déluge. La pluie tombe toujours à gros cailloux d'eau, des gouttes de pierre. Ça cogne sur le toit tellement fort qu'on a l'impression d'une gigantesque friteuse dans le plafond. J'habite l'ancienne maison de mes parents. Elle est devenue avec le temps la mienne. Mais ce fut long, même très long avant de sortir de cet état tombeau. Le temps qui nous traverse répare lentement les cercueils que sont nos cœurs parfois devenus. Le temps et la peine, comme le vent et l'eau, refaçonnent l'argile fait d'ADN que nous sommes. La mort nous ensorcelle et nous jette du froid dans l'abdomen, nos vertèbres se glacent, se cabrent, avec nos sourcils mélasse. Les disparus qu'on aime se rapprochent, et ce qui nous séparait d'eux s'évanouit pour faire place à ce nouveau langage : le silence-baume. Nos fantômes fétiches circulent en nous, dialoguent avec nos cellules-mères, et nous nous taisons pour les laisser danser, le bal alcôve des sources riantes dans nos vieilles cervelles rajeunies.

Pour ma mère ça s'est passé dans la même chambre, la même maison, face à la même fenêtre, devant les mêmes cerisiers, un après-midi de mars, sept ans plus tard.

Marcienne, la veille de sa mort, le 4 mars dans l'après-midi, elle ne savait pas que je l'écoutais. D'une voix usée, elle a dit : « Aujourd'hui, c'est le 4, je ne sais pas si je vais me rendre jusqu'au 5. » Le soir du 4, je répétais *Vol au-dessus d'un nid de coucou* à Montréal. J'ai appelé à la maison. Ma marraine et Mireille Samson gardaient ma mère. C'était la folie au téléphone : ma mère poussait des hurlements à faire frémir n'importe quel catatonique. Je suis arrivé quinze minutes plus tard. Marcienne toujours vociférait des cris et se débattait comme un moulin à vent en furie dans son lit. Je lui parlais mais les mots ne servaient à rien. Alors je suis monté sur ma mère comme sur un cheval, lui prenant les bras en guise de bride, et je l'ai accompagnée dans sa danse de sorcière blanche, dernière incantation de sa vie. Mes yeux étaient rivés dans les siens, nos regards se touchaient. Nous galopions ensemble sur des draps d'infini. Ma mère ouvrait le chemin vers l'inconnu et s'assurait, en se débattant, qu'elle n'était pas déjà morte. À l'orée de cette zone terrible, ses sens se brouillaient, s'ébrouaient. De ma bouche sortaient bien malgré moi des « Maman, maman » ici et là, mêlés à ses grands beuglements. C'était vraiment la symphonie du chaos. Peut-être avait-elle l'impression qu'elle parlait et je voyais qu'elle me voyait, que c'était plus fort qu'elle. Une tempête de peur, un raz de marée de restant de vie la traversait. Au bout de vingt minutes, elle devint comme un ange. Elle prit mon bras et s'en couvrit. J'étais sa couverte, son aile-couvercle. Toute la nuit je l'ai veillée dans cette position d'amoureux fœtus, mon ventre dans son dos. Toute la nuit j'étais le père et la mère de ma mère, toute la nuit je l'ai accompagnée dans cette position cuillère, toute la nuit j'espérais qu'elle guérisse par miracle, toute la nuit j'ai eu les yeux ouverts. Toute la nuit, la nuit pénétrait mon œil, il avalait la noirceur par son antre, tout mon œil, toute la nuit regardait ma mère s'enfuir par derrière elle. Son dos rempli de nuit me regardait tout rond l'entourer de mon ventre. J'étais son enfant, accosté à ses flancs, elle expirait et la nuit s'essoufflait, se vidait de son air. Je devenais peu à peu la nuit dans son dos, je ne savais plus qui était la chair de qui. Je vivais, elle mourait, elle vivait, je mourais, nous mourions par soubresauts, en cadence dans le souffle berceau de la nuit essoufflée. Au matin, très tôt, elle articula « Saupoudrer maison. » Hein ? « Saupoudrer maison. » Et plus rien ne sortit de sa bouche, à part un dernier « je t'aime. » C'était le matin, c'était la fin, c'était l'hiver. La fenêtre, l'œil de la chambre par où entrait et sortait le temps, laissait voir les cerisiers tout givrés de glace dentelle et, de mes fenêtres à moi, coulaient de grosses larmes chaudes.

Durant la journée, j'ai chanté pour border de sons ma mère si chère. La même chanson qu'elle me chantait quand tout petit elle me berçait.

Dessous ma fenêtre
y a un oiselet

qui toute la nuit chante
chante sa chanson
s'il chante, qu'il chante
ce n'est pas pour moi
mais c'est pour ma mie
qui est loin de moi

À dix-huit heures, entourée d'une couronne d'amis, le 5 mars, les yeux tout profonds de clarté, Marcienne s'apprête à aller rejoindre sa planète. Juste avant le grand saut, elle cherche Agnès, ma sœur, retenue au téléphone dans la cuisine. Marcienne est morte ses yeux dans mes yeux. Bien malgré moi, j'ai murmuré faiblement MAMAN, MAMAN... Agnès est arrivée. J'étais transpercé par la mort de ma mère et je n'avais presque plus de voix. J'étais comme un petit gars qui reste sur le quai de la gare et voit le train s'en aller avec sa maman dedans. J'avais encore des choses à lui dire, elle qui entend tout d'où elle est.

HYMNE À MA MÈRE
5 mars 1991

C'est une fleur du printemps qui s'est ouverte
en toute hâte juste avant la Pâque. La tige encore

dans la glace et le soleil qui te tire de son bour-
geon, tout éclat de mauve qui s'envole à l'horizon.
Ton dernier souffle s'est fondu avec la brise du
crépuscule. Sourire de perle dans l'infini vague du
vent, l'Âme en majuscule, flèche au ciel dans la
cible maintenant, ici pour nous l'invisible tout le
temps, mais qu'importe, toi la belle lumière au
firmament, belle comme un lis.

Tu es celle avec qui j'ai eu les plus beaux mo-
ments, tu es non seulement une mère, mais une
amie de tout instant. À vingt-neuf ans tu me
donnais la vie, tes ovaires m'ont accueilli, à ce
moment-là tu commençais la seconde moitié de ta
vie et ensemble on a fait la paire sans père, à la
fois on était tout le monde et tout au monde. Vingt-
neuf ans plus tard, toi dans tes cinquante-huit ans
moi dans mes vingt-neuf ans, tes ovaires te font
une morsure, te mordent du dedans, là où germe
la vie. Alors que tu deviens enceinte de ta mort,
ma sœur Agnès devient enceinte d'un petit Hans.

Comme le fait dire Mishima au poète devant
Komatchi, « Il faut mourir avant de vivre. ». Belle
maman, je t'éclabousse de l'amour qu'il y a ici, tu
n'es plus là dans ton corps de Marcienne, tu es là-
bas, en haut, ici, partout au milieu de nous dans
ton corps transfiguré.

La mère de Hans, Agnès, ma sœur, dont
le nom je pense veut dire « La grâce », est
une luciole dans mon cœur, une forte nature

avec beaucoup de larmes en elle, et beaucoup de tendresse dans les yeux. Elle est vraie comme de l'or pur dans une source du Labrador gardée par un saumon rieur. Quand Marcienne à l'église, dans sa tombe, attendait le baptême des doux charmes, Agnès lui a dit le plus simplement du monde : « *Ma petite maman, tu dois être bien au milieu de l'azur, de la mer et dans le cœur de chacun, tout imprégnée de bonnes odeurs, à goûter une suprême volupté, à t'asseoir sur le soleil et piétiner la lune. Je suis sûre que tu es en train de boire un nuage avec Mozart en discutant d'arpèges ou de sucre à la crème (gourmande). Et sociable comme tu es, tu as dû aller parler pointu à Shakespeare. Ici il y a un trou mais ton amour reste toujours vivant. Quand je pleurerai, mes larmes tomberont dans mes rêves où je te retrouverai désormais et lorsque je serai triste, tu viendras me consoler en me berçant au rythme de nos souvenirs. C'est gros gros gros gros gros comme l'univers, que je t'aime, maman. Ta fille Agnès* ».

Sur le toit hippocampe de la bonne maison, la pluie ne cesse de gargouiller, les rues sont des rivières et les fenêtres des hublots. La maison est un bateau fixe et c'est l'averse incessante qui flotte sur elle. La maison sent l'Arche de Noé. Comme un métronome, la pluie bat la mesure, je me conforte dans la musique de ma Merséide.

Assis sur la table de la cuisine, les robinets de la maison ouverts, j'écoute bourdonner ma demeure rivière. Je suis obligé d'inventer, d'imaginer, d'extrapoler une Damas fictive parce que le manque est trop grand. Soudainement, ça frappe à la porte. Trois coups lents, comme avant le lever du rideau au théâtre. C'est Charbel. Il entre, s'assoit et je lui dis, du milieu de mon aquarium : « Écoute-moi : »

— Je m'imagine à Pointe-au-Père, sur le bord du fleuve, assis sur une grosse roche qui ressemble à un champignon, les yeux fixés sur l'horizon. Pointe-au-Père est la ville de Damas, et Damas est une grande pointe cimetière, un cimetière de vie. En face se dessine une forêt d'oliviers avec des moutons dedans. Un berger sort de nulle part, il a l'air du gardien des tombes, avec un sourire large et des lunettes-télescopes aux yeux, il me laisse voir la voie lactée de son œil. Cet homme berger est le père de monsieur Djalala. Il m'invente un hamac tissé de fils d'araignée et me dit que mes origines sont accrochées dedans, il me raconte de fond en comble comment monsieur Djalala est né.

— Le hamac serait lourd de sens.

— Je me couche dans le hamac et j'écoute d'où je viens.

D'une mère, ma grand-mère, sa femme, belle comme une fleur de lotus en plein émoi d'avril. L'homme berger accoucha ma grand-mère avec des mains-éponges, celles qui reçoivent la vie criante des premiers instants. Il défile l'origine du futur chirurgien, mes origines, les siennes, et j'entre par l'orifice de la porte de Damas, cercle cœur des premiers chercheurs d'étoiles, premier peupleur du ciel et de la terre, tombeau de mon père. Les araignées dans leurs filets captent les rêves de ceux qui dorment éveillés.

— En remontant ce temps inédit, tu y mesures le poids de tes origines et la masse de ta mémoire additionnée à son poids = la paix.

— La paix dans l'œil, la paix dans l'abdomen, dans l'ADN. Et comme un baptême s'échouerait sur le monument champignon, une bouteille sur laquelle serait inscrit : « À un fils inconnu ». Dans la bouteille, il y aurait un homme. Cet homme a pour nom « l'homme amour », c'est mon père, le vrai faux. Tout haletant, il m'avouerait qu'il est plein d'utérus dans la gorge, il cracherait son aveu de père à qui veut le recevoir. Je le tiens dans mes bras, enfin, il meurt à petit feu, rejoignant ceux qu'il a tant blessés, ceux qu'il a tant laissés de Damas à Chicoutimi, de Chicoutimi à Sainte-Julie, de Sainte-Julie à

Princeton en Indiana, et de Princeton à ce bain d'eau, dernier baptême. D'un seul élan plein de tendresse, ma parole l'embaumerait. Meurs, papa, meurs ! Die, Daddy, die ! Coule dans la mort, oublie ta rage, cherche ta lumière, va vite, nage jusqu'à l'autre rive, sois le saumon des dernières heures, remonte vers ton père, embrasse-le pour moi, moi je n'ai pas les lèvres assez étanches pour traverser avec toi la rivière des souvenirs. Sois fier de moi juste une seconde, parce que je partage ton eau glaciale et que mes mains touchent ta chair et mon regard t'élève. Ne me quitte pas des yeux, tes yeux m'enfantent. Je n'ai pas assez de toutes mes souffrances vécues pour contenir l'amour qu'elles te réservaient. Pars, gentil papa, pars. *Go* dans l'ailleurs de ta vie, avec mon espoir élan de fils réconcilié. Je reste, moi, pour veiller comme un père sur ceux que j'aime. Pars pardonné, gentil papa, n'aie plus peur d'aimer.

Devant l'horizon, je resterais bouche bée, ample de stupeur, ravi d'avoir été rejoint par mon souhait. Je serais rassuré, le bruit de la mer et la nuit qui crève le ciel et creuse le rêve éclorait un sourire scellé dans la bouteille venue du large, échappée de l'espace. Comme une étoile-météorite tombée dans ce ciel liquide, désert d'eau devant moi qui berce mes pieds brûlants de marche, qui chauffe mes mains pleines de ce que je quête. Marcherais-je vers le père qui sommeille en moi ?

J'écoute en moi clapoter ma Pointe-au-Père comme un de ces fous millénaires avec des nerfs de bronze ancrés jusque dans les ongles, errant jusque dans mes moindres angles, aboyant le soleil qui m'allume, hurlant ma délivrance à la lune. L'ambivalence danse dans mes veines, éveille ma transe sereine, explore l'aube émeraude avec un regard de vieux lynx aux pupilles sphinx.

L'histoire ne se terminera jamais, elle dort les yeux ronds, et sa sphère s'incline comme un genou qui contemple et médite. Tout devient ombre, trace de lumière qui perce l'os du temps, je suis cette charnière de quelque reste du firmament. La droite clarté vierge qu'est ma sobre histoire recèle l'ornière des chastes champs informes que transporte l'automne dans ses secrets. Ainsi s'érige la prière du juste quand il découvre qu'il n'y a que de la beauté sur de la beauté et ainsi de suite.

*

Œil, tu t'es peut-être dit : « Moi, si j'étais à sa place, j'irais directement le voir, ce père-météore. » Moi aussi j'ai eu cette tentation, mais par ambivalence, je lui ai écrit.

J'ai été caché, je me suis caché, derrière ma mère, derrière son désir, derrière plusieurs pères, derrière leurs approbations, derrière l'anorexie, derrière la fuite du suicide, derrière quelques obsessions, les maladies de l'âme ont plusieurs noms. Je me camoufle en ce moment pour écrire. Personne n'est au courant. Suis-je en train de me cacher ? De répéter le départ étrange de ma vie dans ma vie ? de disparaître ? de m'avorter ? encore une fois de reproduire ce mouvement saugrenu originel ? Maintenant je casse l'étau, je cherche à ne plus reproduire, à exister sans subterfuge, je cherche de l'éraflure la fleur. Au lieu d'être homme de fuite, je deviendrai homme de suite. Fini la gêne, la honte d'être soi.

C'est pourquoi je pars immédiatement trouver en personne monsieur Djalala, crever entre nous ce silence mythique.

Je m'évapore, le temps de mes réelles retrouvailles.

II

Œil, mon œil ne dort plus, ne veut plus fermer l'œil. Une peur magistrale, ancestrale l'ensorcelle, l'empêche de basculer dans le sommeil. Je veille depuis deux ans sur le rebord de mes rêves dans la Casabonne. Dans mon asile de bois, même le silence a froid, l'air est peuplé de soupirs.

Je me vois couché dans une chambre d'hôtel à Princeton, Indiana, on cogne à la porte, je réponds et... Bang ! Je vois des étoiles et puis plus rien. Je me réveille dans un coffre scellé par de gros clous. Je suis enterré vivant dans ce coffre, six pieds sous terre, mes mains cherchent où je suis, une écharde rentre dans mon index, je panique parce que je me rends compte que je suis dans une tombe. Je me mets à crier, tout le cri de ma vie en un seul cri. Je commence à manquer d'air, je m'arrête, je suis on ne peut plus face à moi-même, seul, et je sais de tout mon être, à cette seconde précise, que je vais mourir là-dedans, seul, seul, tout seul. Personne ne sait où je suis, dans ce trou au milieu d'un champ, au milieu de nulle part, je n'ai pas de couteau pour faire un trou dans le bois, je n'ai que mes doigts maintenant pleins d'échardes et je manque d'air de plus en plus. Je n'ai pas une allumette pour voir une dernière fois la lumière, et ma seule issue est d'accepter de mourir, tout seul. J'ai beau faire mes prières, mes oreilles n'entendent qu'un vaste silence noir, je suis couché sur le ventre, je ne peux pas me retourner, je suis coincé et j'entends mon cœur battre de plus en plus fort, j'ai le respir court, je transpire de peur, le temps passe et je ne meurs pas, je suis plein de vie coincé sous terre et j'attends de mourir heure après heure, je sens mon cœur, horloge de ma vie, tictaquer coup après coup. Mon Dieu, pourquoi ?

Sortant de mon Big Bagne, je retrouve l'abscisse et l'ordonnée, tout est bien là, rien n'a bougé. Moi, le fiston, j'ai peur de mon père-piston, et je retombe de mon plafond dromadaire.

Depuis que j'ai pris la décision d'aller rencontrer mon père-sperme au désert de ma Damas, mes états d'être jouent aux montagnes russes les soirs, les jours. Deux forces violentes, pleines de vie, en moi s'opposent, l'une de destruction, l'une de construction, elles luttent entre elles. Je sens que la peur engendrée par cette opposition en moi tire son origine de ma mère qui m'a caché pendant les quatre premières années de ma vie. Par là m'aurait-elle transmis sa propre culpabilité ? Je sens que cette peur provient d'elle et d'Habib Djalala, de leurs ambivalences face à ma naissance, et je les retourne contre moi en me tuant. Mais c'est eux que je veux tuer, avec eux que je suis en guerre. J'ai une telle colère en moi que par la seule force d'un coup de poing cogné dans une montagne de roc, je l'effriterais en mille milliards de miettes. Ma rage deviendrait sable, plage d'orage. Je continue le travail que mes parents ont amorcé.

Je devais rencontrer mon père avec ma Yasmine aux pieds d'aube. Dans ma logique, je trouvais bon d'y aller avec ses antennes puisqu'elle était la seule à lui avoir déjà parlé et je voulais vivre ça cœur à corps, ma confiance était sereine à ses côtés. Elle aurait pris un rendez-vous à son nom, à sa clinique. Une fois dans le bureau, devant lui malgré lui, j'aurais dit : « Voilà monsieur, me voilà, c'est simple, ce n'est pas malin, j'ai besoin de vous voir, je suis Narcisse, votre fils, j'ai besoin que vous me voyiez, j'ai besoin de vous rendre concret, de faire sortir de moi le fantôme que vous êtes. »

Mais Yasmine n'aimait pas cette façon trop renarde, trop traquenarde que j'avais d'aborder cette rencontre. Elle appréhendait la réaction de monsieur Djalala, et devant ce trop, elle annula son rendez-vous et me conseilla d'y aller seul. J'aurais pu y aller avec Ingrid mon amoureuse, mais j'étais incapable de prévoir mon comportement là-bas avec elle, nous avions peur l'un de l'autre. J'ai appelé à sa clinique et j'ai pris un autre rendez-vous, tout ça en anglais. Quand j'ai raccroché, j'avais un sentiment de fierté et la peur qu'il rappelle pour me dire de ne pas venir.

Miracle ! Les miracles existent-ils ? Comme, ce jour-là, le téléphone qui a sonné. C'était Olga, la sœur de ma mère, qui m'appelait d'Europe. Ça faisait au moins trois ans qu'elle ne m'avait pas téléphoné. Elle me révèle un détail que je ne savais pas : quand Marcienne a annoncé à monsieur Djalala qu'elle était enceinte de lui, il lui a proposé le mariage ; comme elle n'a pas voulu, c'est par la suite qu'il lui a dit : « Avortons-le. » Maman a alors pris la poudre d'escampette. Olga confirmait ce que maman m'avait dit. Pourquoi n'a-t-elle pas voulu l'épouser ?

A-t-elle eu peur de son père et du genre de père qu'aurait pu être monsieur Djalala ?

Pourquoi, lors de ma naissance, a-t-elle changé nos noms de famille ? Elle m'a d'abord appelé Narcisse D., fils de monsieur et madame D. Pourquoi m'a-t-elle caché quatre années durant ? Pourquoi a-t-elle attendu que son père meure pour dire à la famille que j'existais ? Pourquoi a-t-elle fui cet homme médecin ? Mon oncle m'a conté que lors d'une visite de leur père chez ma mère, elle m'avait caché dans la garde-robe pour que son père ne découvre pas mon existence. J'aurais dû me réveiller !

Ma mère carburait à l'amour, elle en est morte. Pour sa survie, elle a choisi de fuir, moi en elle, elle en moi. Manière de s'affranchir.

Maman n'aimait peut-être pas assez Habib Djalala pour l'épouser, elle avait peut-être peur de l'homme musulman, de l'homme arabe qu'il était. Elle luttait probablement avec et contre ses principes. Elle a sacré le camp pour ne pas subir les cancans, changeant mon nom et s'en inventant un autre pour que personne ne sache son état de fille-mère.

Dans la famille de ma mère, tous les enfants, – sauf Olga avec qui je parle toujours au téléphone – ont eu le foie malade. Tous ont souffert d'hépatites, tous ont eu des pierres à la vésicule. Le foie, chez les Chinois, est en même tant générateur de forces mais aussi siège de la colère et du courage. La vésicule biliaire est le juge qui décide et condamne. Tous se sont sentis tôt ou tard pris dans l'étau de leur colère, embourbés de peur, de culpabilité.

Olga et moi nous avons parlé ensemble une bonne heure et demie. Quel oxygène de dire des choses jamais dites, ça ouvre le dedans, ça fait de l'air dans le cerveau plein de poussière. La joie c'est du miracle au cœur, de la grâce dans l'aorte. Le simple son de sa voix, le simple écho de sa pensée dans la mienne m'a fait du bien.

Miracle ! Le même jour Agnès ma sœur vient chez moi, voilà trois mois que je ne l'ai vue. Je lui annonce que je vais voir mon père. Elle crie dans la cuisine.

— T'es fou, y va te tu... Ç'a pas de bon sens d'y aller tout seul. Tu forces sa porte, y t'attend pas, c'est trop sauvage.

Je me dis, dans mon phare intérieur, nos peurs sont les mêmes. Viennent-elles de maman ? Sa réaction me mettait en contact avec ma propre émotion, mes propres peurs et ça je ne voulais pas. Mais je suis content parce qu'elle a déclenché un doute, je me suis rendu compte que je voulais être accompagné, je redoutais encore la mort.

Quand déjà, tout petit, j'implorais ma mère le soir avant de m'endormir qu'elle me promette de me vider de mon sang si je mourais dans la nuit. Ainsi je rassurais ma peur d'enfant de me réveiller dans ma tombe. Une peur viscérale que mon père ne m'oublie, qui s'exprimait dans l'angoisse d'un réveil six pieds sous terre. Tout petit je voulais sortir de cet état tombeau.

Miracle ! Vincent me téléphone et je lui parle de ma peur d'y aller seul. Il me propose de venir avec moi là-bas aux États-Unis, de m'accompagner dans ma démarche. Mon Dieu que Dieu c'est l'amour que nous nous donnons les uns aux autres. J'accepte.

Vincent et moi avons décidé de changer le plan : arriver sans avertir, c'est trop violent. Alors j'ai écrit cette lettre.

Le 17 novembre 1998

Bonjour monsieur Habib Djalala,
Après vous avoir écrit une première lettre en septembre 1994 vous expliquant qui j'étais, le fils de Marcienne Brassard que vous avez connue à Chicoutimi en 1961, et affirmant que vous êtes mon père géniteur, etc...
Après avoir téléphoné en juillet 1996 par l'intermédiaire d'une amie, Yasmine, qui a connu Olga la sœur de Marcienne, vous expliquant la même chose que dans la première lettre mais de voix vive...

Après avoir écrit une deuxième lettre en juillet 1996 vous demandant toujours de me faire signe, je suis resté encore deux années sans nouvelles de vous, votre silence en dit long.

Maintenant, la démarche que je m'apprête à faire auprès de vous va dans le même sens, c'est une démarche de cœur, elle m'est essentielle. J'ai besoin de vous voir yeux à yeux. Pour que cela se fasse concrètement sans essuyer un éventuel refus, j'ai osé prendre rendez-vous avec vous, à votre clinique lundi le 23 novembre 1998 à 9 heures du matin. Mais pour vous donner la chance de vous préparer, j'ai cru meilleur de vous prévenir de ma venue et par conséquent de ne pas me présenter à ce rendez-vous. Par contre, je serai à Princeton du dimanche 22 novembre à 6 heures du soir jusqu'au mardi 24 novembre, 10 heures du matin, et je souhaite ardemment vous rencontrer alors. Laissez l'heure et l'endroit de ce rendez-vous dans ma boîte vocale : (514-670-2910). Si vous ne me donnez pas signe de vie j'en conclurai donc que vous me recevrez à votre clinique lundi le 23 novembre à 9 heures du matin.

Vous comprendrez que ce geste, incontournable pour moi, est la seule façon de faire la paix en moi.

Narcisse Bonne Maison

En attendant que mon père se manifeste, je demande conseil à Retrouvailles internationales. Au téléphone, la madame de cet organisme me raconte ses propres retrouvailles. Une connexion s'est opérée dans mon cœur, je l'écoutais et je pleurais en silence, avalant d'immenses vagues de compassion. Je lui ai lu ma lettre et je me suis mis à sangloter. C'était incontrôlable, de grosses marées de peine me montaient du thorax à la gorge. Je continuais à lire empêtré dans mes pleurs, mes yeux débordaient, j'étais pour la première fois en contact avec cette immense douleur de l'abandonné, mes larmes comprenaient à la place de ma tête, j'étais traversé de l'heureux chagrin des nouveau-nés. Cette femme m'a dit : « Si tu vas rencontrer ton père avec ton cœur, le rendez-vous en sera un de cœur ; si tu y vas avec ta tête, ce sera une rencontre de tête. » C'est aussi pour ça que j'avais des montagnes de pleurs qui grondaient dans mes yeux en lui lisant la lettre.

J'appelle marraine : suis-je bien le fils *réel* de ma mère ? Elle me jure que oui. Françoise a pour ma mère un amour sans borne, ma mère est une partie vitale d'elle-même.

Je voulais rappeler Mireille Samson, la cousine de Marcienne, pour l'avertir que j'avais enfin trouvé le monsieur de l'Indiana. Sur le chemin de sa mort, ma mère lui avait demandé de m'aider à retracer mon père puisqu'elle avait connu sa femme. Je n'ai pas cru bon de le faire.

Beaucoup de révélations me sont faites par téléphone. Je ne rêve presque jamais à maman. Mais les rares fois que je rêve à elle, le téléphone se met à sonner. Je réponds. À l'autre bout, il y a forcément quelqu'un, mais il se maintient dans le silence. Je dis maman ? Et toujours le silence.

L'autre jour, je fais le même rêve : ça sonne, je réponds :

— Allô...

— Bonjour (c'était maman).

— Mais où es-tu ? Depuis le temps que j'attends de tes nouvelles ?

— Ça ne te regarde pas (en voulant dire : vis, fais ta vie). Et puis plus rien. Le silence s'éloignait à l'infini.

Mon père de l'Indiana lui aussi garde silence. Rien. Ni lettre ni téléphone.

L'écriture me pousse à vivre. Son vent s'accroche dans ma plume et écrit mon histoire. Sous le ciel en forme de nuit, les étoiles sont mouillées : mes larmes tombent dans les ténèbres. C'est la veille de mon départ.

Dans l'aéropeur de Dorval, Vincent est coincé aux douanes. J'incante : « Douanier, laisse passer Vincent. » Ma pensée n'a plus de frontières, elle surpasse l'autorité, la loi. Il n'est plus question de pays, mais d'un homme qui regarde un autre homme suspecté. Vincent répond aux questions dans le box des accusés. Le douanier s'en fout, il fait son travail, il occupe son temps à créer des barrières, d'autres frontières entre les gens. Je regarde dans le box. Je ne parle pas anglais, pourtant j'entends tout autour de moi un bourdonnement de yes et de no, de maybe, de where do you go, de what is the reason of your trip, et je suis planté là et de plus en plus je prie pour que « le mieux soit ». L'idée froide d'y aller seul s'insinue en moi. Je frissonne. Une paix inattendue m'enveloppe. Je m'autorise enfin à devenir l'oiseau de mes rêves, à enfiler le manteau de l'heureux pauvre qui ira serein dans l'aéropère. Le corps dressé, le cou arqué d'espérance, j'attends. Vincent s'explique avec le garde des frontières. Il finit par sortir du box, on lui fait l'aumône de sa liberté. Par la fenêtre, je vois les grandes dents chevalines de son sourire.

Nous sommes dans l'avion, son aile fend l'air américain. Le hublot est rempli de bleu soleil. J'écris sur un sac pour vomir et les mots se répandent sur le papier blanc entre les trous d'air.

Escale à Pittsburgh. Nous marchons dans l'aéroport. Vincent est mon garde-fou, moi je suis le fou, le fou d'une quête folle, un fou fils qui enquête sur sa quête, un homme fou de devenir toujours plus homme-fils, un fou protégé par les prières de ceux qui l'aiment au point de prier follement pour lui. Je suis pris d'une folle attirance pour ces milliers de personnes qui n'ont personne dans leur vie sur qui compter, à qui se confier, qui n'ont pas de garde-fou. Parmi tous ces gens, il y a des femmes, des hommes, des enfants qui cherchent farouchement leurs origines, leur père, leur mère, leurs filles, leurs fils. J'en croise ici dans cet aéroflair, peut-être des dizaines, et je ne peux m'empêcher de les dévisager et de chercher en eux une ressemblance, je suis aux aguets, je guette, j'entends les milliers de pulsations que je croise. L'amour flâne rouge sur les trottoirs roulants bondés d'yeux fuyants.

Toujours au-dessus de cette grosse Amérique trop grosse pour moi, j'écris « Je vis ». Fragile dans mes souliers. Les hélices frôlent le hublot et tous ces champs cultivés déferlent sous mes yeux effoirés dans la vitre. Mon père languit en écoutant les avions filer dans le ciel. A-t-il peur lui aussi d'être tué ? L'hélice tourne et tourne, cercle continu sur lequel le soleil danse : sa lumière accrochée à son nez drille l'air, comme un requin perce l'eau dans l'océan mystère.

Avec Vincent, j'ai avalé à l'aéroport de Pittsburgh un gros sundae aux cerises, après tout nous sommes dimanche. Les sundaes américains sont multipliés à la puissance dix, il n'est pas cliché de dire que nous bouffons dans le mythe du cliché une cuillerée de sundae mythique. Ça goûte la même chose qu'au Canada, mais aux États, tellement big is beautiful, la portion est triple, une colline devient une montagne, une montagne une cordillère. Nous filons vers la rencontre suprême.

Dans un champ d'une campagne verte et labourée, près d'un silo en ruine comme un moulin sans hélices aux allures de gros cadran solaire, un coq chante. Une buse fait des ronds au-dessus de moi. Elle s'amuse dans le vent de l'Indiana et je marche le labour de ma mémoire.

Nous arrivons la veille à Princeton, fin de journée. Nous faisons le tour en auto louée. Si Vincent veut tant conduire l'auto, est-ce vraiment pour me décharger d'un poids, ou pour avoir le contrôle de la situation ? Nous repérons l'hôpital de mon père, sa clinique, sa maison. Nous entrons dans The Church of St Joseph, en pleine messe, c'est très priant, peut-être est-il là ? Aurait-il quitté la ville en sachant que j'arrivais ? Je me sens totalement déboîté, je me sors de l'enterrement, de ma mise en boîte primitive.

Par ce démasquement, j'ai la crainte d'être face à face avec le mystère de toute une vie. Je me roule dedans depuis si longtemps comme un chien se roule dans les excréments des autres animaux pour garder sur lui leurs odeurs. Je chéris ce mystère, je sens que je vais ouvrir une porte et que de l'autre côté mes yeux verront somme toute les mêmes choses, mais le relief sera plus distinct, je serai à peu près le même avec plus de moi-même en moi. La lumière se pointe le nez à travers l'œil de la porte, elle va naître entre le hibou et le coq.

Nous repassons devant sa clinique. Sur la plaque à l'entrée, nous lisons : gynécologue, obstétricien, chirurgien généraliste. Je pense à maman : morte d'un cancer des ovaires. Nous rentrons à l'hôtel. Vincent va regarder les étoiles, seul. Dans ma chambre, je tourne en rond, j'ai peur. Toute la nuit mon œil ne dort plus, il ne veut plus fermer l'œil.

Au matin nous suivons monsieur Djalala dans tous ses déplacements. Ainsi nous nous assurons qu'il est vraiment là et que s'il se dérobe au rendez-vous, au moins je l'aurai vu de mes yeux vus. Il sort ses ordures, synchronisé avec le camion des vidanges. De loin, dans l'auto, nous l'observons. Je me cache la face dans mes mains pour qu'il ne me voie pas. Je suis ridicule. Il embarque dans sa voiture et se dirige vers une école. Un jeune enfant sort de son véhicule : stupéfaction. Un peu plus loin, nos voitures se croisent, je m'écrie tout haut : « Il m'a vu, il m'a vu… » Je suis vraiment ridicule. Neuf heures sonnent. Vincent m'attend dehors.

J'entre dans sa clinique d'un seul bond, de l'auto à la porte de la clinique, comme on rentre de la coulisse sur scène le soir d'une première. Du doigt, sa secrétaire m'indique un banc. Dans l'entrebâillement de la porte du bureau, j'aperçois un jeune homme ; est-ce son fils, mon frère ? Mon cœur cogne comme un coup de marteau sur un pouce. Je m'assois ; suspendu en moi, je prie. La porte s'ouvre : un vieil homme un peu courbé, chauve, l'air anxieux, me serre la main formellement, il a de belles mains douces, chaudes. Dans son bureau, le jeune homme que j'ai aperçu est assis, nous serons trois. Un court instant de flottement, j'absorbe le lieu, j'avale tout, je ne suis plus pilote à bord. Je me lance.

— Voilà, c'est moi.

Un silence, les têtes acquiescent.

Je ne viens pas comme un fils qui réclame un père. C'est une rencontre d'homme à homme. Faire la paix.

Quand nos yeux se sont ancrés l'un dans l'autre, iris à iris, c'est comme si on ouvrait devant moi le tombeau de Lazare. Et du noir de l'œil de monsieur Djalala, son gouffre se déversait dans le mien.

Mes yeux brillent, je suis d'un calme étrange. Il ne me rejette pas.

Devant son autre fils, Joseph, nous nous racontons notre passé, il se rappelle Marcienne, il dit qu'elle ne l'a jamais prévenu de sa grossesse et de ma naissance. Que jamais il n'a proposé l'avortement, qu'il est contre. La bouche ouverte, Joseph a les yeux rivés sur moi.

Monsieur Djalala n'a pas répondu à mes lettres parce qu'il ne voulait pas me jeter dans un désarroi plus grand. Joseph l'a rassuré : pour lui mes lettres étaient sincères, et mon courage le remuait.

— Father, Narcisse looks like uncle Raffi.

Monsieur Djalala m'observe.

— Quelles sont vos origines ?

— Le roi du Maroc. Il y a plusieurs centaines d'années, ce roi avait trois fils, trois princes, un est allé en Égypte, l'autre en Tunisie et l'autre en Syrie. Djalala veut dire majesté. Les Djalala de Syrie, comme ceux d'Égypte et de Tunisie, descendent donc du roi du Maroc. Nous possédons un rouleau de l'arbre généalogique de la famille écrit en fil d'or, mais je ne sais plus où il est, sans doute quelque part en Syrie. Tes lettres m'ont soufflé, surtout la première. Je croyais que c'était une farce.

— Je vous redis les mots de ma mère.

— Je n'ai jamais eu de relations sexuelles avant mon mariage. Avec ta mère, ç'a été un flirt furtif.

— Une goutte de sperme peut suffire. J'en suis la preuve vivante.

— Il n'y a jamais eu de pénétration !

— Vous êtes en train de me dire que vous n'êtes pas mon père !

— Non. Mais je ne me souviens de rien.

— Donc, je n'ai plus rien à faire ici.

— Je regrette, j'ai tout oublié. Qu'est-ce que je peux faire ?

— Le test d'ADN ?

— Je ne veux pas.

— Moi aussi je ne suis pas très chaud pour l'ADN.

— Prenons notre temps, soyons patients. Si tu es mon fils, je te reconnaîtrai comme un de mes enfants et je t'aimerai.

Depuis, cette phrase résonne en moi. Elle ébranle ma vie : devient-il mon vrai père ? Mais son double message me jette dans une sorte de confusion inouïe. D'un côté il m'accueille sans bornes, de l'autre il m'oublie. Peu à peu je sombre, sans trop m'en rendre compte, avec ce que je croyais guéri. L'ambivalence aiguë, suraiguë. Ma mère m'a fait connaître aussi les doubles messages, elle m'a caché et en même temps aimé. On ne camoufle pas ceux qu'on aime, sauf en temps de guerre, l'amour se vit au grand jour.

Cette journée du 23 m'était consacrée, à quelques jours de la Thanksgiving. Sa clinique m'était ouverte, mais il n'avait pris aucun autre rendez-vous. Consultation avec mon père. Je ne savais plus si maman m'avait dit la vérité. Nous étions dans le bureau de mon père un peu comme des naufragés flottant dans le doute. Mes oreilles comme un sonar scrutaient nos âmes sonores.

Il m'invite à prendre le café dans sa maison. Joseph me montre des photos du père de mon père. Stupéfaction, je lui ressemble beaucoup. Dans la cuisine, nous discutons tous ensemble, Vincent est là. Nous parlons argent. Politique. Économie. Musique. Travail. Argent. Maison. Argent. Nous parlons, nous parlons, mais aucun souvenir de Marcienne ne remonte à sa mémoire. Il est midi. Il nous invite à souper, et nous nous donnons rendez-vous pour six heures.

Nous sortons. J'ai besoin d'oxygène. La maison de monsieur Djalala me fait penser à un tombeau. Vincent est surexcité, il n'en revient pas. Moi, j'essaie d'être heureux, mais il y a toujours le « si » qui siffle dans mes tympans, le doute, le doute : monsieur Djalala est-il mon vrai père biologique ? Nous sortons de la ville.

— Mais tu vois bien que c'est lui, il ne peut pas te le dire directement, il te le dit par son accueil, qu'est-ce que tu veux de plus ?

J'étais hyperlucide. En mesure de tout comprendre, mais j'avais besoin d'une certitude. De l'entendre dire de sa bouche. Toutes ces années à chercher, à scruter. Je ne pouvais pas me réjouir spontanément, je n'étais pas convaincu. Vincent me secouait, me criait « Réveille ! » J'étais paralysé. J'essayais de cacher mon désarroi, je luttais avec mes émotions et le désir de répondre à l'enthousiasme de Vincent. Je ne savais plus où donner de la tête, du cœur, de l'âme, du corps, je souriais jaune. Mais en fait je m'effritais de plus en plus comme si, progressivement, apparaissait à mon insu sur mon front l'inscription : « Il n'y a plus de service au numéro demandé. »

— Et s'il n'est pas mon père...

— Impossible. Il n'agirait pas ainsi.

— Je ne veux pas m'introduire dans sa vie, m'ingérer dans son univers. D'autant plus qu'il a cinq enfants...

— T'es le plus chanceux de la terre. Tu te rends pas compte. Ce matin à neuf heures moins une, tu savais rien de tout ça. Et maintenant t'as un père, cinq frères et sœurs.

Je suis dans un état troué, un état de perte totale, de « si » qui siffle. Cela ressemble à la peur qu'a dû éprouver ma mère les derniers jours avant ma naissance, face à son père et face à monsieur Djalala. Elle a eu peur que je lui sois dérobé, qui sait ? Alors moi, devant mon père roi, debout devant lui, lui montrant l'être que je suis, je consume la peur de ma mère, j'en perds le nord et le sud. Je fais ce geste qu'elle n'a pu faire devant son père, devant monsieur Djalala : se tenir debout libre. Peur, père, c'est proche. Marcienne a choisi la fuite, sa survie. Longtemps j'ai pensé que j'étais le fruit d'un péché, mais en fait je suis un accident salvateur. Ma mère a fait de moi son enfant-cadeau. Un cadeau devenu un piège emballé dans de l'amour tentacule, une perle dans un écrin d'or, une mère avec son fils roi. L'envahissante, la dévorante, l'avalante ; et moi un fils sangsue, et plus tard un fils sens dessous dessus. Devenir pour soi le rédempteur et le rédempté. Faire le choix du ici et du maintenant.

Ma mère m'a, elle aussi sans le vouloir, enfermé dans l'oubli, dans sa garde-robe, dans ce qu'elle pensait être l'amour. Elle a fait de moi un trou de mémoire, c'est pour ça que j'ai si peur d'oublier, d'éjaculer. C'est pour ça que je veux sortir du trou ombilic, chanter, danser, crier, jouer, « vériter » liberter.

Encore une fois je suis l'entre. Entre l'accueil et l'oubli, entre l'amour et le secret, entre un père vieilli et une mère veilleuse. Qui dit vrai ? Suis-je Jésus de Chicoutimi ?

Dans le champ de mes labours, la lumière de la fin du jour se violace. L'air est mauve et mon visage est fatigué d'une bonne fatigue, comme si j'avais accouché. Vincent mon berger, l'homme-œil, scrute le crépuscule de son iris caméra. Nous allons rejoindre les Djalala pour souper.

Dès notre arrivée, Monsieur de l'Indiana m'annonce que sa fille Nadia, ma sœur, m'invite à la fête de Thanksgiving chez elle, à Indianapolis. Je suis submergé, estomaqué et ma pulsion serait de dire oui d'emblée. Avant de sauter tête première, toujours le « si » siffle : je dois attendre un peu.

Nous allons souper au restaurant. Joseph conduit, notre père est devant et Sami, mon autre frère, derrière avec moi. Vincent nous suit. Monsieur Djalala fait un petit interrogatoire.

— Est-ce que tu es marié ?

— Non, mais j'ai une amoureuse, elle s'appelle Ingrid.

— Est-ce que tu fumes ?

— Non.

— Est-ce que tu prends de la drogue ?

— Encore moins.

— Est-ce que tu bois ?

— Oui, à l'occasion. Du jus de pomme.

— Non. Je veux dire de l'alcool ?

— Oh non ! Et je n'ai jamais eu de relations sexuelles avant le mariage. Non non, je plaisante... Êtes-vous musulman ?

— Oui.

— Il y a une mosquée dans le coin ?

— Plusieurs. Es-tu catholique ?

— Oui. J'ai remarqué que la religion est très forte ici.

— Il y a quarante-cinq églises juste à Princeton.

— Ah ! Mon Dieu...

Dans le restaurant, une table ovale, c'est un steak house. L'odeur de la viande grillée plane dans la salle à manger. Nous sommes autour du roi : il trône, modeste au bout de la table, et nous mangeons. Je dévore à une vitesse folle : ça fait trois jours que je ne dors pas, allez savoir pourquoi... J'aime ce moment avec eux. Vincent parle beaucoup avec Sami, l'enfant reconduit à l'école ce matin.

Monsieur Djalala ne vit plus avec aucune femme. De son premier mariage il a eu Laila,

Steven, Nadia, Joseph. De son deuxième mariage, Sami. Et de sa vie de jeunesse, moi. Je pense que c'est tout, du moins à ma connaissance. Je savoure la grâce de l'instant et j'essaie de revenir sur le sujet.

— Le flirt furtif avec Marcienne, ça a duré quelques mois ?

— Non, non. Vingt-trois jours.

— Vingt-trois jours ?

— Oui, exactement vingt-trois.

Je ne pouvais m'empêcher d'être surpris :

— Et Olga ?

— Qui est Olga ?

— La sœur de ma mère, elles vivaient ensemble quand vous vous êtes connus à Chicoutimi.

— Je ne me souviens pas d'elle.

— Elle se souvient de vous. Et Mireille Samson ?

— Ça ne me dit rien non plus. Excuse me, j'ai mis comme un voile.

Un hijab sur la vérité. Un peu plus tôt dans son bureau, en lui demandant s'il avait des maladies héréditaires, il m'avait appris qu'il commençait à faire du glaucome et des cataractes. Un hijab sur l'œil. Autour de la table, je suis tout ouïe. Je sens que monsieur Djalala se révèle au compte-gouttes, je ressens son tiraillement d'homme-père, de médecin, son désir de m'accueillir, sa générosité de me guérir. Le repas se termine avec beaucoup plus de questions que de réponses.

Dans le stationnement, nous avons pris une photo. Avant de se quitter, Joseph me lance : « Break a leg ! »

J'ai décidé de ne pas aller à la Thanksgiving. Ça m'en faisait beaucoup à avaler d'un coup et je ne voulais pas m'introduire dans cette nouvelle famille sans m'assurer que monsieur Djalala était mon véritable père. Je ne voulais pas être l'outil d'un bernement, bernement, du verbe « berner », moi qui avais hiberné depuis tant de temps.

Je voulais répondre à cette invitation. J'étais tiraillé. C'était une manière de rendre grâce pour l'immense cadeau que mon soi-disant père me faisait. Mais l'ambivalence s'est mise à danser dans mes neurones, le tango de l'indécision : j'y vais-tu ? j'y vais pas ? À en devenir fou. Vincent m'éclairait, traçait des balises, aux aguets de mes moindres dérapages. La nuit allongeait ses longues jambes fatiguées d'avoir attendu debout toute la soirée que je me couche. Je riais à haute voix, la tête enfoncée jusqu'aux narines, la bouche ouverte sur une haleine de rêve.

Le matin je me suis réveillé avec la sensation de ne pas avoir dormi : mes yeux étaient des océans secs, mes globes flottaient en leur iris, l'air regardait à ma place.

— Je dois aller à la Thanksgiving.

— C'est toi qui décides.

— C'est par-devant que la vie est.

— Veux-tu que j'appelle la compagnie d'aviation pour changer la date de ton retour ?

— D'accord.

Vincent s'exécute de sa belle voix américaine, il séduirait un cactus dans le désert du Texas.

— Attends, Vincent. J'hésite...

— Veux-tu que je rappelle pour annuler ?

— Non. Je vais avoir l'air d'un vrai fou.

— Ils s'en foutent.

— Il faut prévenir monsieur Djalala.

Je l'appelle. Je lui dis que j'ai changé d'idée.

— Ah oui ! Il faut le dire à Nadia. Appelle Joseph pour qu'il l'avertisse.

Joseph n'est pas là. Je rappelle monsieur Djalala.

— Tu pourrais partir d'Indianapolis pour Montréal. En attendant tu resteras chez moi.

— Je vais rappeler la compagnie d'aviation pour voir s'il y a de la place.

Vincent téléphone ; pendant qu'il attend sur la ligne, dans ma tête ça roule à la vitesse supersonique de la lumière, mes yeux tournent dans tous les sens et dans l'espace d'une fraction de poussière de seconde, je décide de ne plus aller à la Thanksgiving.

— Tu ne veux plus y aller ?

— Non non, je suis pas capable. Reconfirme ma place pour partir aujourd'hui.

Je tourne en rond dans la chambre d'hôtel comme un poisson rouge dans un verre d'eau. Le souffle court, le thorax opprimé. L'ambivalence danse dans mes veines : mon sang bouillonne, mes globules sont une cavalerie en déroute.

— J'ai peur. Je ne veux pas être seul.

— Il y aura ton père, tes frères et sœurs.

— Oui, mais tu n'y seras plus. J'ai peur.

— Si je pouvais rester, je resterais.

— Je sais. J'ai la sensation d'être comme un alpiniste qui redescend de la falaise en plein milieu de la montagne.

— Écoute ton instinct. Respire et regarde les nuages passer. Ne te laisse pas prendre par leurs orages locaux.

— J'ai honte. Tu me vois dans ma plus grande faiblesse. Je n'ai plus le contrôle sur rien. M'aimes-tu, même si tu assistes à mon effritement ?

— Si tu savais comme je te comprends.

Et je me suis mis à pleurer doucement. J'ai consenti à dévoiler mes larmes devant un ami. Mon humeur yoyote. J'appelle monsieur Djalala pour l'avertir que je ne viens plus.

— Mais pourquoi ?

— J'ai peur.

— Peur de quoi ?

— De mes émotions.

— C'est normal, nous avons beaucoup à absorber tous les deux.

— Ça ne vous déçoit pas trop que je n'y aille pas ?

— J'aurais aimé que tu viennes, mais en aucune façon je ne mettrai d'entraves à ta liberté.

— Une dernière question. Est-ce que vous avez été nu avec ma mère ?

— Je ne veux plus que nous parlions de ça. Ça fait quarante ans, je ne me souviens plus.

— Est-ce que Steven sera là ?

— Je ne pense pas qu'il descendra d'Alaska, mais Laila y sera.

Vincent se brossait les dents dans la salle de bains, il faisait le plus de bruit possible pour ne pas entendre notre conversation. Je dis bonjour à monsieur Djalala en le remerciant pour tout ce qu'il avait fait pour moi.

— Arrête de le harceler. Tu deviens maniaque de savoir à tout prix si son pénis est rentré dans le vagin de ta mère. C'est évident que oui.

— Pour moi non. Pour toi oui. Pour moi non.

— S'il te plaît, arrête de te décrotter le nez.

— Excuse-moi.

— C'est écœurant. Nous nous disons des choses essentielles et toi tu te fouilles le nez à pleins doigts.

— C'est un tic, je suis nerveux. J'ai un poil dur au nez.

Sur le coup ça m'a fait de la peine qu'il me le dise de façon si virulente et si soudaine. J'étais dévasté. J'avais d'autres chats à fouetter, j'avais la tête pleine de crottes, j'étais embourbé d'elles.

— Regarde l'acquis plutôt que ce que tu perds. Tu focalises le négatif alors qu'il n'y a que du positif.

L'avion décollait dans cinq heures. En quittant l'hôtel, nous sommes allés nous promener dans un petit cimetière protestant tout près. Le soleil sur les tombes nous rappelait à quel point la vie nous habite.

J'ai été comme ébloui du dedans. Je me voyais émerger de la lumière, une lumière blanche, et je me sentais seul, si seul que j'aurais pu prendre la solitude dans mes mains, dans mes bras et la bercer. Pourquoi éprouver un tel abandon ? J'ai deux forces en moi : une qui me tire vers l'arrière, qui me pousse à trouver mes origines, et l'autre qui me tire vers l'avant pour me libérer.

Entre les deux, moi je suis paralysé. Si les forces sont trop fortes, ça casse, la folie s'ensuit. Si elles sont juste assez puissantes, c'est l'inertie. Il me faut larguer ces deux forces opposées, père et mère, secret et oubli et leur élan me fera émerger par le milieu. Dans le cimetière au milieu de l'Indiana, j'ai la tête trouée de lumière vive. Ma mère, comme un spectre, rôde. Son pardon avec ses nageoires d'océan flair me fait renaître, raz de marée au nez. Elle marche en moi.

*

Au Québec, c'est la nuit, l'avion est presque vide. J'ai le teint anxieux, la lune fait la belle, les étoiles grelottent. Au-dessus des nuages, presque tout le monde dort, je suis assis et j'écoute, je suis bouleversé, une toupie vrille dans mon plexus et chante.

Nous atterrissons au pays de la neige, du bois, du vent et de l'eau. Et sur cette terre bercée entre sud et nord, j'ai mal à moi. Le froid s'aventure furtif sur nos jours. Avant de nous quitter, Vincent me remercie de lui avoir permis d'être aux premières loges. Il me serre dans ses bras.

Une impression amère m'envahit alors. Une sensation de viol. Avait-il été là comme on assiste à un spectacle, un good show ?

M'étais-je mis une fois de plus dans un état de victime ? Étais-je pris au piège de mon bogue identitaire ? Vigilance, Narcisse. Regarde le reflet de ton reflet sans te noyer dedans. Sache voir le dedans de ton dedans dans le reflet de ton reflet. Et contemple en toi l'Icône d'où tu viens ?

Nos maisons chaudes nous accueillent.

Mon œil ne dort plus, il ne veut plus fermer l'œil, mes oreilles cherchent le son de mes rêves et j'avance dans la nuit qui n'en finit plus d'étirer sa longue jupe noire.

Le soir même de notre retour, une ténèbre s'abat sur moi, me frappe à grands coups de fouet, m'affole, me plonge dans sa marmite. Des haut-parleurs grinchent des sons de gorge, des sons graves qui s'enfoncent dans un désert de nuit. J'écoute ce vent de cloche funèbre qui se lève dans un mouvement d'onde fossile sur une peau de lumière. Mes yeux sont rivés dans ma figure. Le matin, les yeux glauques, nus, je lave ma bouche sèche qui sent le ventricule et j'avale l'eau de mon bain en une gorgée. Je tourne dans mon lit-carrosse, braqué et nu, épousseté d'insomnie féroce. Le crépitement des planches résonne dans mes hanches.

J'arpente le vecteur de ma mémoire originelle. Revenir était la bonne décision.

Sinon, j'allais tout droit chez les fous. Du bolide que j'étais, je sombrais à pic dans la ferraille, un émiettement graduel dû à trop d'émoi, choc violent de vérité floue à gober d'un seul coup, sursaturation d'informations, vertige ambigu. Je voulais répondre à tout, tout comprendre, tout saisir, ne rien manquer, donner bonne image, plaire, faire les joints, recevoir, créer les ponts, faire vérité. De qui suis-je ? L'ambivalence identitaire qui mène implacablement à l'indécision, le quoi faire, le quoi être, le qui être, le qui faire qui, le qui vers quoi, l'entre-deux éternel, le balancement entre deux forces qui veulent avoir raison, qui se font la guerre l'une à l'autre, désir de trouver son camp, mais impossible dans ce vric vrac indécisionnel. C'est pourquoi je valsais, yoyo fou indécis, à la merci du tout tout vrai, ou du tout tout mieux ou du tout tout prix.

Ingrid m'a fait remarquer que quand un alpiniste de l'Everest se trouve à quelques mètres du sommet et que la tempête surgit, il redescend. Moi, mon état brouillé de tempête soudaine m'a fait revenir. J'avais l'impression de reculer en revenant au Québec, alors que j'écoutais ma nature crier péril en la demeure, péril en la bonne maison. Je laissais la vie faire son chemin. Où que j'aille, où que je sois, c'était moi ma prison. C'est à moi de me libérer, c'était moi l'auteur de mon illégitimité, c'est à moi de me reconnaître, c'est moi qui m'enterrais, m'avalais, m'enfermais, m'anéantissais, me dévorais. C'est à moi de me faire surgir, d'émerger, de naître, de m'ouvrir, d'être l'équilibre libre, ni fuir en avant ni en arrière, être là partout où je suis.

*

Aujourd'hui tout déboule, une avalanche de dénouement. J'appelle Joseph in U.S.A. et je tombe sur une femme, sa mère, une Québécoise, la première femme de monsieur Djalala.

— Can I talk to Joseph, please ?
— He is not there.
Je ne savais pas comment me présenter.
— I am a friend of Joseph. My name is Narcisse.
— Je parle français. Je suis née au Saguenay. Je suis la mère de Joseph. Je m'appelle Caroline.
— Ah ! bien, je ne sais pas si vous êtes au courant de toute l'histoire.
— Oui, Habib m'a mise au courant.
— Je voulais aller à la fête de la Thanksgiving.
— Ben oui, tu aurais dû venir.

— Monsieur Djalala m'envoie un double message. Je ne voulais pas m'immiscer dans votre famille sans savoir si tout ça est vrai.

– Il a toujours été ainsi, double, flou. C'est pour cette raison qu'on a divorcé.

— Si j'avais été à sa place, je me serais assuré de l'authenticité de tout ça avant d'en parler à qui que ce soit. Par contre, je peux dire que Joseph m'a été d'un grand secours, il a un cœur d'or.

— J'ai des enfants merveilleux. Habib a besoin de passer par un tiers pour s'assumer, il nous garde en attente pour mieux contrôler nos émotions.

— En même temps c'est très courageux de sa part de prendre le risque de mettre au jour un tel événement. C'est généreux. Comment réagissez-vous à toute cette histoire ?

— Bien, ça nous le rend plus humain. Moi je crois pas ça qu'il n'a jamais fait l'amour avant le mariage. Pour en avoir le cœur net, passez un test d'ADN.

— Il ne veut pas.

— Je vais lui en parler. Je ne veux pas être oiseau de malheur, mais il y a un autre Habib Djalala qui lui aussi est chirurgien au Québec.

— Quoi !

— Oui, j'en suis sûre. Regarde dans le bottin téléphonique. Je le sais parce que son courrier était arrivé chez nous par erreur.

— Et ce Habib dont vous parlez, vivait-il à Chicoutimi ?

— Je ne sais pas.

— J'ai le bottin devant moi. Il n'y a pas de Habib Djalala.

— Tu appelleras le Collège des médecins, il est peut-être retourné en Syrie.

— Oh, la, la. C'est un méchant revirement.... Connaissez-vous Mireille Samson ?

— Oui.

— C'est la cousine de ma mère. Juste avant de mourir, elle lui a dit dans l'oreille, seule à seule, de m'aider à trouver mon père, parce qu'elle savait que vous étiez amies. Donc le Habib Djalala dont il est question, c'est le vôtre, c'est le nôtre.

— Tu as marqué un point. Il y a trois ans, ma mère m'avait dit que quelqu'un cherchait Habib. À l'époque, j'ai pris ça avec un grain de sel.

— Eh ben, le grain de sel c'était moi.

— Tout ce qui vous reste à faire c'est de passer le test d'ADN.

— Vous pouvez pas savoir à quel point ça me fait du bien de vous parler. Avoir su que vous y seriez, je serais allé à la Thanksgiving.

— À bien y penser, c'est mieux que tu n'aies pas été là, ça aurait pu créer un malaise.

— En effet.

Nous avons raccroché. Cinq minutes plus tard le téléphone sonne.

— Allô.

— Je suis Steven Djalala, ton frère d'Alaska.

Il parle français.

— Steven, tu appelles d'Alaska ?

— Oui. J'ai essayé hier de te parler à l'hôtel pour te dire que j'allais te rejoindre à la Thanksgiving, mais tu étais déjà parti.

— Je reprends l'avion tout de suite pour Indianapolis.

— Maintenant c'est trop tard pour moi, il n'y a plus de place.

— Je suis triste. J'étais tellement confus avec le double message de ton père, mon père, notre père...

— Je viens de parler à Joseph. Il m'a dit que notre père était sûr à cent pour cent que tu étais son fils. Mais il continue à affirmer qu'il n'a jamais fait l'amour avec ta mère !

— Tu vois la contradiction ?

— Il faut que tu comprennes. Il nous a élevés dans la rectitude et toi tu es l'expression de sa contradiction. C'est pourquoi il a de la difficulté à avouer, tu es la preuve vivante de l'envers de ce qu'il nous a enseigné. Il est devenu très musulman à partir de 1978 et ce fut très difficile, surtout pour mes sœurs Laila et Nadia.

— Je trouvais étrange qu'elles soient tenues à l'écart de ma visite et que vous, les garçons, vous l'ayez su avant elles.

— C'est très très musulman.

— Vous, les enfants, êtes-vous musulmans ?

— Pas vraiment.

— En 1978, j'ai eu et j'ai encore et j'espère toujours avoir une incontournable attirance pour Dieu. Comme si, sans le savoir, ton père mon père notre père et moi nous commencions à nous chercher en écho.

— Il faut absolument que tu viennes à Noël chez Laila. Nous sommes très excités à l'idée de fêter ensemble.

— J'irai avec un énorme plaisir.

Nous sommes le 25 novembre 1998, un mois avant la Nativité. Mes frères et mes sœurs me tirent à eux, ils me veulent pour frère, ils prennent le relais du père, ils sont mes véritables pairs de sang. Tout s'élargit en moi, je n'avais pas prévu cette avenue, je me sens bousculé et miraculé, jamais je n'aurais envisagé ce retournement si subit. Je suis submergé par tant d'amour, et Steven a convaincu monsieur Djalala de passer le test d'ADN en lui disant : Fais-le, papa, pour que ce soit plus clair, pour toi, pour lui, pour nous. Tu n'as rien à perdre, au contraire. Si le test est positif, la situation sera clarifiée : tu gagneras un fils, nous gagnerons un frère, lui un père et une famille.

Nous avons fait le test, lui in U.S.A., moi au Québec, à l'hôpital Pierre-Boucher. Ici personne n'avait jamais fait de test d'ADN : empreintes digitales, photo, identification, prise de sang, moi qui ai peur des aiguilles. Par bonheur, l'infirmière était grosse et cela a calmé la saignée de mon bras. Mon cas a créé tout un émoi dans l'hôpital, une vraie corrida, surtout à cause de toutes les précautions légales qu'il fallait prendre. Comme le médecin en chef du laboratoire n'a pas voulu se prêter au jeu, le directeur de l'hôpital a dû tout faire. Nous avons envoyé la fiole de sang et tout le bataclan à la compagnie avec laquelle je faisais affaire aux États-Unis, en Ohio, spécialisée dans les cas de tests d'ADN internationaux. Nous attendons les résultats avant Noël.

J'aimais bien mon mystère, de ne pas savoir qui est mon père, d'être différent, d'être exceptionnel, d'être peut-être Jésus de Chicoutimi mais j'échappe ces drôles d'illusions derrière moi. Ma vie est par en avant.

Jésus de Bethléem a probablement été conçu on ne peut plus naturellement. L'Immaculée conception n'est pas une question d'organe. Et si Marie, sa mère, lui avait dit qu'elle s'était trouvée enceinte de façon mystérieuse et que Jésus ensuite ait cherché son père, son vrai père biologique toute sa vie, pour finalement le trouver et être accueilli par lui comme le père de la parabole de l'enfant prodigue et qu'après il ait mis son attention sur le Père créateur de l'univers, mirant son regard sur cette vérité que nous sommes tous reliés indépendamment des races, indépendamment de toute croyance et que nos réelles origines sont d'en haut et que notre avenir est dans le fait que nous sommes tous fils et filles de ce père invisible, tellement présent que nous pouvons l'apercevoir, il circule amour entre nous frères et sœurs aimants. Ce qui compte c'est de mettre sa confiance vis-à-vis sa foi, de croire au-delà de toute vraisemblance, le genre de confiance qu'ont eue Marthe et Marie, sœurs de Lazare quand Jésus de Nazareth, en larmes à Bétani, a crié, haut et fort, le nom de Lazare dans le tombeau de Lazare mort, une confiance aveugle, éclairée, qui suscite la résurrection. Dire le nom de ceux qu'on aime les fait revivre. Une telle confiance qui multiplie la grâce au lieu de la diviser, une confiance qui écarte la menace, qui chasse le contrôle, une confiance élargie qui réveille les morts, qui ouvre les yeux des aveugles.

J'accueille enfin le don de la vie sorti des couilles de mon père. Le test n'est qu'une étiquette ; le vrai test pour monsieur Djalala, c'est d'accepter de le passer. Je sais que je suis dépendant du père et que l'accueil de mes frères et sœurs m'achemine vers une guérison. Même si mon père venait me serrer dans ses bras, je resterai toujours marqué de la blessure de son absence.

Entre-temps j'ai reçu deux lettres, une de Laila et l'autre de Joseph. Ils me disaient leur amour et m'ouvraient grand leurs cœurs et leurs maisons. J'ai répondu à Laila.

Laila

Quand j'ai rencontré Habib pour la première fois, my father, your father, our father, je me sentais un peu comme Christophe Colomb. J'étais dans un état étrangement calme, et c'est Joseph qui a déclenché en moi le sentiment de filiation quand il a prononcé ton nom : j'avais l'impression de te connaître. Je regrette de ne pas t'avoir parlé lorsque j'ai appelé chez Nadia pour la Thanksgiving.

Merci pour les photos, vous êtes une très belle famille. Je t'envoie également une photo de moi et d'Ingrid. Nous arriverons le 24 décembre chez toi.

Narcisse

Comme cadeau de Noël, je leur ai composé une chanson.

*

Ingrid et moi sortons de l'avion. À chaque pas que nous faisons, j'entends le cœur de ma nouvelle famille battre d'émoi. J'ai la poitrine serrée, trop serrée, le soleil se couche. Mes yeux embrassent la lumière.

Il est là, l'homme de l'Indiana. En silence. Debout. Stoïque. Laila à côté de lui, belle comme une orchidée, rayonne dans l'aéropère. Caroline, sa mère, nous observe tranquillement venir vers eux et le petit Sami doucement heureux. Dans l'auto de Laila, ma sœur me dit : « Nous avons reçu le test d'ADN. Il est positif. » Nos yeux se sont croisés, embués.

Une fois à la maison, j'ai dit à mon nouveau père :

— Le test d'ADN est positif, vous êtes donc mon père ?

Il me répond en français ces quatre mots sublimes :

— Faut croire que oui.

—Alors vous n'êtes pas parti en vain de la Syrie. Vous êtes venu me faire. Le test d'ADN vous fait-il vous souvenir de votre jardin d'Éden avec Marcienne ? Votre nouvelle mémoire se souvient-elle de moi ? Suis-je maintenant votre fils à part entière ?

Noël en Indiana fait de moi le mage de ma nouvelle naissance. Mes nouveaux frères et sœurs mettent au jour le secret que je porte depuis le premier battement de cœur de mon cœur. La nuit de Noël m'ouvre ses mains chaudes, j'ai l'âme en crèche bordée des sources de mon sang. Je m'endors dans les yeux d'Ingrid.

Le lendemain, nous déballons les cadeaux. Je suis accueilli comme j'ai toujours rêvé de l'être. Je silence au milieu du fouillis de Noël. Je leur offre le CD de ma chanson. Habib va l'écouter seul au salon. Elle prend vie. Je leur suis éternellement reconnaissant.

L'exaltation monte au fur et à mesure que nous approchons du dîner de Noël. Les beaux-parents de Laila arrivent, ils écoutent à leur tour mon cadeau. Sa belle-mère japonaise me prend alors dans ses bras et pleure sans dire un mot. C'est alors que sur tous les visages le tango des cœurs s'est mis à valser dans la maison de Laila ; il a valsé, valsé jusqu'au dîner où le beau-père de Laila a béni le repas en remerciant Dieu de la bonté submergeante dans laquelle nous nous lavions. Il le remerciait de la venue d'un nouveau fils dans la famille Djalala, s'enfargeant dans ses larmes. Thanks God ! Je me sentais emmailloté dans la mangeoire de leur amour et monsieur Djalala, silencieux, faisait son ramadan.

Nous étions dans la cuisine debout en cercle, plusieurs lignées ensemble n'en faisant qu'une seule, entourant la dinde, les tartes, les plats somptueux. Autour de moi il y avait des origines arabe, allemande, québécoise, japonaise, amérindienne, américaine, ce mélange heureux priait. Une seule âme, la télévision nous accompagnait, le monde entier dans une cuisine, et moi fils comblé au cœur d'eux, avec à mes côtés Ingrid me tenant la main.

Dans la soirée, monsieur Djalala est retourné à Princeton. Il était de garde à l'hôpital. Nous nous sommes dit adieu près de sa voiture.

— Je ne sais pas trop comment vous appeler : Monsieur Djalala... Habib...

— Appelle-moi père.

— Eh bien, je vous souhaite une bonne et heureuse année, père.

Je n'avais jamais appelé personne papa. Jamais mes lèvres n'avaient pu articuler plus loin que le mot père.

Et il a disparu dans la nuit étoilée. Je suis retourné vers Ingrid, le sang plein de perséides.

Noël in Indiana nous a rapprochés infiniment, Ingrid et moi. Sa présence fut d'une importance archicapitale. Ce soir-là, quand nous étions dans le cocon que Laila nous avait préparé, une chimie de fission sacrée s'est opérée en nous. Dans la chambre sourde, nos corps imbibés ont basculé sur le lit, radeau au milieu de la pièce, niche de nuit. Moi sur le dos, les mains au front, Ingrid tout à côté, les mains sur le ventre. Le silence respire. La maison est prête à dormir.

— Comment tu te sens, Ingrid ?

— Je n'arrive pas à tout m'expliquer, je suis très ébranlée.

— Je fais en quelque sorte de l'âme pour avoir du son.

— Ça me soude à toi. Je suis si heureuse pour toi.

— Moi aussi ça « m'arque-soude » à toi.

— J'ai la nette sensation que ça te désincarcère.

— Oui. Souvent j'ai l'impression d'être pris dans une armure de fer et de me battre avec des mouches. Si je me rencontrais dans la rue, j'aurais le goût de me dire de fouiller dans ma poche, d'y prendre la clef qui s'y trouve et de la mettre dans la serrure de la porte de ma prison, de l'ouvrir et d'en sortir. Serais-tu la clef ?

— Que non ! Tu penses l'amour, tu ne le vis pas. T'as beau trouver toutes les origines, les comment, les pourquoi, tu n'incarnes pas l'amour.

— Parfois, j'ai l'impression d'être meilleur acteur qu'amoureux.

— L'amour n'est pas qu'une question d'hormones.

— Tu m'aimes ?

— Oui.

— Maintenant, applique !

Et la nuit se roula dans nos bouches assoiffées d'amour, nous étions comme un fjord, comme un glacier qui fondait dans la Noël sereine.

Le lendemain, dans l'auto qui nous ramène à l'aéroport, Nadia me dit : « Si le test d'ADN avait été négatif, nous n'aurions pas eu un frère de plus, mais un ami magnifique. »

Mes frères, mes sœurs, Ingrid et moi ensemble nous étions heureux, nous roulions dans la joie, dans les rires, dans les fous rires. Nous commémorions la première rencontre à la clinique et, amoureusement, autour de la table au déjeuner, riions du père, de notre super *sperme*. Quand est venu le temps de nous séparer, nous étions unis pour la vie. Moi j'avance vers le millénaire et j'entre dedans riche de nouveaux frères et sœurs et père.

Œil, toi qui m'as lu, ce n'était pas un rêve, tu peux maintenant fermer l'œil. Je te laisse à ton éveil.

CET OUVRAGE RÉALISÉ PAR
LUC JACQUES, TYPOGRAPHE
A ÉTÉ IMPRIMÉ EN OCTOBRE 2001
PAR L'IMPRIMERIE MARC VEILLEUX
DE BOUCHERVILLE
POUR LE COMPTE
DES ÉDITIONS DU SILENCE
DE MONTRÉAL

DÉPÔT LÉGAL
1re ÉDITION : 4e TRIMESTRE 2001
(ÉD. 01 / IMP. 01)